小学生语文新课标必读丛书

中国寓言故事

主编／刘敬余
编者／刘　岩

北京出版集团公司
北京教育出版社

全国名校
班主任隆重推荐
专为低年级小学生精心打造
紧扣新课标 | 结合低年级小学生特点 | 重视认知与积累
全国优秀教师
北京市特级教师
北京市东城区教育研修学院小学部研修员
课堂上的各科学习，是给孩子吃“正餐精粮”，而这套丛书正是给学生配制的“五谷杂粮”。二者搭配“食用”，孩子定会更加健康。
王文丽
全国模范教师
江苏省著名教师
江苏省小学语文特级教师
读什么样的书就会做什么样的梦，有什么样的梦就会成为什么样的人。这套丛书，能让你拥有世上最美好的梦想！
薛法根
特级教师
河南省濮阳市子路小学副校长
本套丛书集趣味性、知识性于一体，立足于学生学习能力、思维能力的全面发展，促使学生成绩和心智得到全面而有效的提升，是学生成长路上的好伙伴。
武凤霞
全国优秀班主任
吉林省骨干教师
《班主任》杂志封面人物
这套丛书涵盖范围极其广泛，展现形式生动活泼。学生阅读后，情感体验会更深刻，人生目标会更明确。
张曼凌

本套丛书紧扣语文新课程标准，针对小学低年级学生的特点，以认知与积累为重点，精心设计栏目，让学生在阅读中提升阅读能力和写作能力。

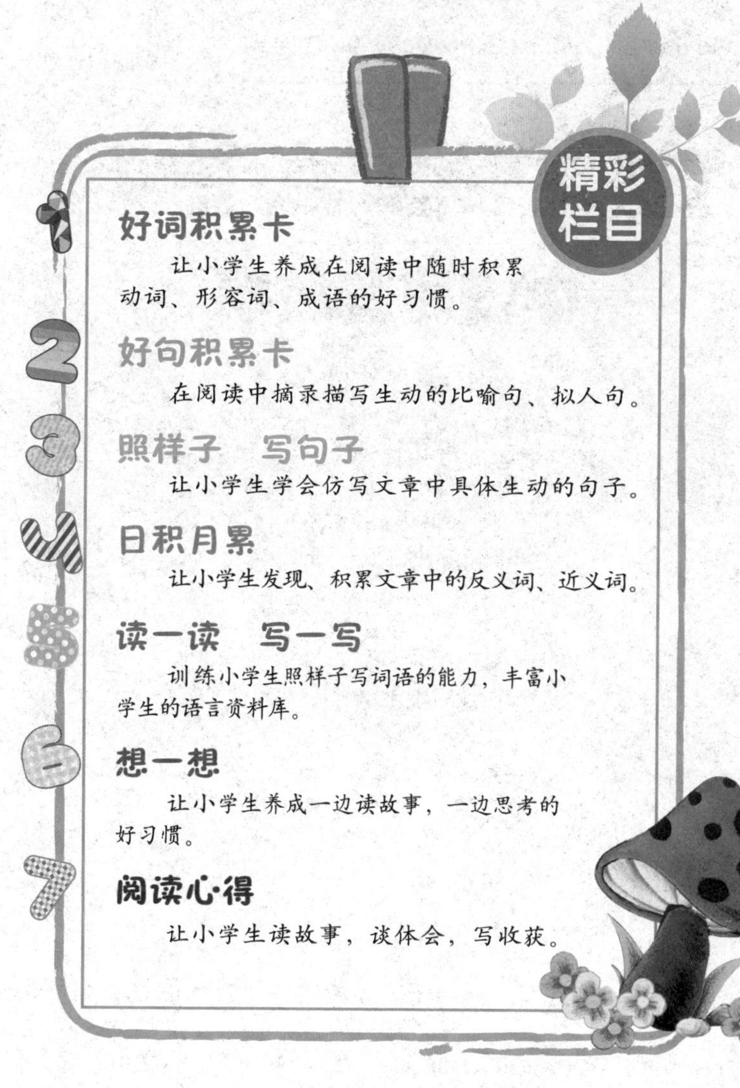

精彩栏目

1 好词积累卡

让小学生养成在阅读中随时积累动词、形容词、成语的好习惯。

2 好句积累卡

在阅读中摘录描写生动的比喻句、拟人句。

3 照样子　写句子

让小学生学会仿写文章中具体生动的句子。

4 日积月累

让小学生发现、积累文章中的反义词、近义词。

5 读一读　写一写

训练小学生照样子写词语的能力，丰富小学生的语言资料库。

6 想一想

让小学生养成一边读故事，一边思考的好习惯。

7 阅读心得

让小学生读故事，谈体会，写收获。

图书在版编目（CIP）数据

中国寓言故事/刘敬余主编. —北京：北京教育出版社，2012.6
（小学生语文新课标必读丛书）
ISBN 978-7-5522-0237-3

Ⅰ.①中… Ⅱ.①刘… Ⅲ.①儿童文学－寓言－作品集－中国 Ⅳ.①I287.7

中国版本图书馆CIP数据核字（2012）第096820号

小学生语文新课标必读丛书

中国寓言故事

主编/刘敬余

*

北京出版集团公司
北京教育出版社 出版
（北京北三环中路6号）
邮政编码：100120
网址：www.bph.com.cn
北京出版集团公司总发行
全国各地书店经销
北京飞达印刷有限责任公司印刷

*

880mm×1230mm 32开本 7印张 120千字
2012年6月第1版 2015年8月第7次印刷

ISBN 978-7-5522-0237-3
定价：10.00元

质量监督电话：13911108612 （010）58572832 58572393

为人篇

伯乐和千里马/002

馋酒的猩猩/004

爱听奉承话的老虎/006

大脖子病人/008

给猫起名儿/010

古琴价高/012

海龟和蚂蚁/014

涸辙之鱼/016

棘刺尖儿上雕猴子/018

狡猾的蝙蝠/020

截竿进城/022

滥竽充数/024

齐人偷金/026

凿井得人/028

以羊替牛/030

鲁国少人才/032

玉器和瓦罐/034

contents

司原氏打猎 /036

讳疾忌医 /039

明年再改 /041

泥偶与木偶 /043

蚕和蜘蛛的对话 /045

千金买马首 /047

为学篇

楚人偷渡 /050

楚人学齐语 /052

东施效颦 /054

邯郸学步 /056

惊弓之鸟 /058

纪昌学射 /060

鲁班刻凤 /062

庖丁解牛 /064

神童的不幸 /067

铁棒磨针 /070

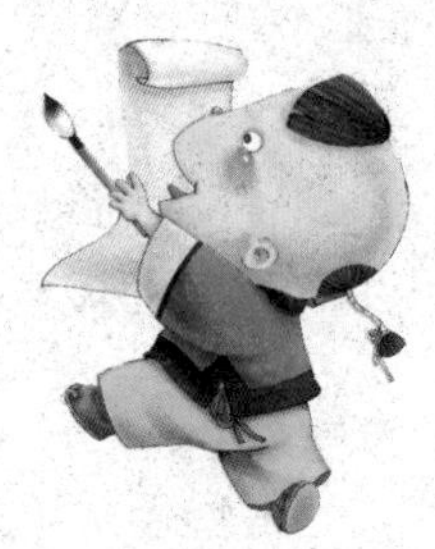

杀龙的绝技 /072

太阳的形状 /074

薛谭学歌 /076

捉蝉的学问 /078

不曾杀陈佗 /080

按图索骥 /083

常羊学射 /085

其父善游 /087

处事篇

拔苗助长 /090

白雁落网 /092

卞庄子刺虎 /094

对牛弹琴 /096

儿子和邻居 /098

高阳应造屋 /100

关尹子教射箭 /102

contents

河豚发怒 /104
后羿射箭 /106
画蛇添足 /108
金钩桂饵 /110
九方皋相马 /112
刻舟求剑 /114
买椟还珠 /116
卖弄小聪明的猎人 /118
书生救火 /120

无谓的争论 /122
五十步笑百步 /124
知了、螳螂和黄雀 /126
自相矛盾 /128
三人成虎 /130
眼前与将来 /132
得意忘形的老虎/134
鲁王养鸟 /137
喜鹊搬家 /139

掩耳盗铃 /141

朝三暮四 /143

杯弓蛇影 /145

处世篇

八哥学舌/148

不听忠告 /150

次非杀蛟 /152

和氏之璧 /154

狐假虎威 /156

糊涂的麋鹿 /158

画鬼最容易 /160

客套误事 /162

老鼠猖獗 /164

猫怕老鼠 /166

南辕北辙 /168

杞人忧天 /170

黔驴技穷 /172

穷和尚和富和尚 /174

若石惨死 /176

守株待兔 /178

contents

叶公好龙 /180
疑人偷斧 /182
与狐谋皮 /184
鹬蚌相争 /186
再爬一回 /188
折箭训子 /190
郑人乘凉 /192
郑人买鞋 /194
狂　泉 /196

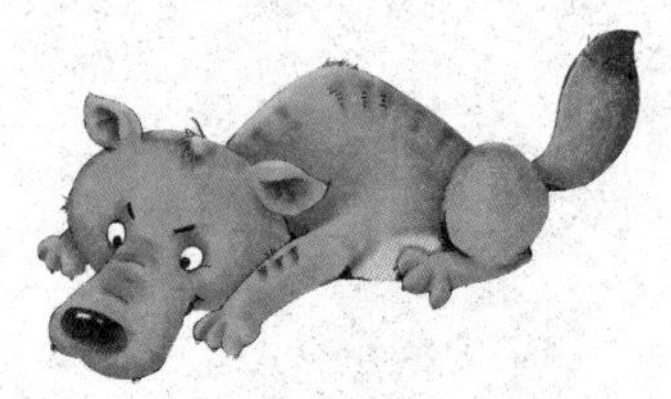

亡羊补牢 /198
愚公移山 /200
井底之蛙 /204
齐宣王射箭 /207
猫头鹰搬家 /209
读后感 /211

为人篇

“播种一种行为，收获一种习惯；播种一种习惯，收获一种个性；而播种一种个性，收获的将是一个人生。”一种良好的为人原则，是对自己的负责，更对别人的尊重。

bó lè hé qiān lǐ mǎ

伯乐和千里马

yǒu yì pǐ qiān lǐ mǎ lǎo le bèi rén yòng lai lā jiǎo zhǔ rén ràng
有一匹千里马老了，被人用来拉脚。主人让
tā tuō zhe chénzhòng de yán chē zài tài háng shān dào shang pān dēng lǎo mǎ dī tóu
它拖着沉重的盐车在太行山道上攀登。老马低头
fù zhòng yí bù yí bù de zài kǎn kě de shān dào shang nuó yí tā bèi liè
负重，一步一步地在坎坷的山道上挪移。它被烈
rì shài de hàn shuǐ lín lín sì tiáo shòu tuǐ chàn chan wēi wei yí ge dǎ
日晒得**汗水淋淋**，四条瘦腿**颤颤巍巍**，一个打
huá jiù dǎo le xià qù tā shǐ jìn quán lì gāng zhēng zhá zhe zhàn lì qi
滑，就倒了下去。它使尽全力，刚挣扎着站立起
lai qián tí yí xià méi cǎi shí yòu diē dào dì shang shuāi de tí kuì xī
来，前蹄一下没踩实，又跌到地上，摔得蹄溃膝
làn wěi ba wú lì de dā la zhe xiān xuè hùn
烂，尾巴无力地耷拉着，鲜血混
zhe hàn shuǐ yì dī yì dī sǎ zài shān lù shang
着汗水一滴一滴洒在山路上。

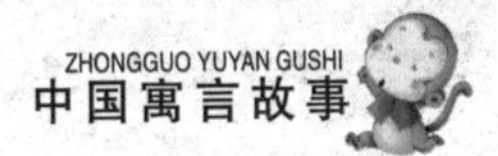

lái dào yí dào dǒu pō qián lǎo mǎ diē zhe gǔn zhe zěn me yě lā bu shàng
来到一道陡坡前，老马跌着滚着，怎么也拉不上
qù le gǎn chē rén de pí biān xiàng yǔ diǎn yí yàng luò zài tā shòu gǔ lín xún
去了，赶车人的皮鞭像雨点一样落在它瘦骨嶙峋
de bèi shang
的背上。

zhè shí hou xiàng mǎ zhuān jiā bó lè chéng chē yíng miàn ér lái tā zǐ
这时候，相马专家伯乐乘车**迎面而来**。他仔
xì de kàn le kàn lǎo mǎ lián máng tiào xià chē lai fǔ mō zhe shāng hén lěi
细地看了看老马，连忙跳下车来，抚摸着伤痕累
lěi de mǎ bèi dà kū qi lai tā jiě xia shēn shang de má bù páo zi pī dào
累的马背大哭起来。他解下身上的麻布袍子披到
lǎo mǎ de bèi shang lǎo mǎ lèi wāng wāng de kàn zhe bó lè hū rán dǎ le
老马的背上。老马泪汪汪地看着伯乐，忽然打了
yí ge xiǎng bí yǎng tiān cháng xiào qi lai nà xiào shēng jì cāng jìng yòu bēi
一个响鼻，**仰天长啸**起来。那啸声既苍劲又悲
liáng zài shān gǔ zhōng jiǔ jiǔ huí xiǎng tā shì zài gào su rén men bó lè
凉，在山谷中久久回响。它是在告诉人们，伯乐
cái shì qiān lǐ mǎ de zhī jǐ a
才是千里马的知己啊！

要想成为相马的专家，首先要从心底爱惜千里马。寓言中的千里马虽然已经年迈，但仍然得到伯乐的爱护和珍惜，就说明了这个问题。我们平时为人处世也要有这种精神，全力地付出，真心地付出！

馋酒的猩猩

森林里住着一群猩猩。它们喜欢喝酒，还喜欢穿着草鞋学人走路。猎人就选了一块空地，放上几坛甜酒，摆上大大小小的酒杯，还编了许多草鞋，用草绳穿起来放在旁边。猩猩一看这个阵势，就知道是猎人设下的圈套。它们坐在树上，高声叫骂：“你们放几坛甜酒、几双草鞋就想让我们上当？甜酒、草鞋是什么好玩意儿！我们就那么嘴馋！”骂着骂着，它们觉得嘴巴有点儿发干，鼻子还闻到阵阵酒香。有只猩猩忍不住了：“喂，弟兄们，这些傻瓜既

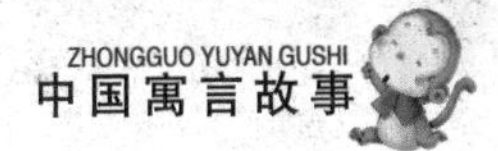

然为咱们准备了这么多甜酒，咱们为什么不去尝它一小杯呢？不喝白不喝，咱们少喝一点儿，不喝醉，不上当就是了。”它的提议正合大家的心意，猩猩们**纷纷**溜下树来。它们先拿小杯喝，一边喝，一边还在骂设下圈套的猎人。喝着喝着，觉得小杯太费事，就换了个大酒杯。

它们越喝越觉得酒味喷香，最后，干脆抓起坛子往嘴里灌。一会儿，猩猩们就喝得酩酊大醉，双眼乜斜，满脸绯红，脚步踉跄，一个个发起酒疯来了。它们**追逐嬉闹**，厮打咬架，又把草鞋套到脚上，歪三倒四地学人走路。这时候，埋伏在周围的猎人随着一声锣响，扑向猩猩。喝醉的猩猩想往森林里逃，却纷纷被脚下的草绳绊倒，都被捉住了。

阅读心得

明明知道是猎人设下的圈套，却依旧顶不住甜酒的诱惑，最终被生擒活捉，这都是因为猩猩的自制力不够。在现实生活中，我们也一定要学会控制自己，不该说的话坚决不说，不该做的事坚决不做！

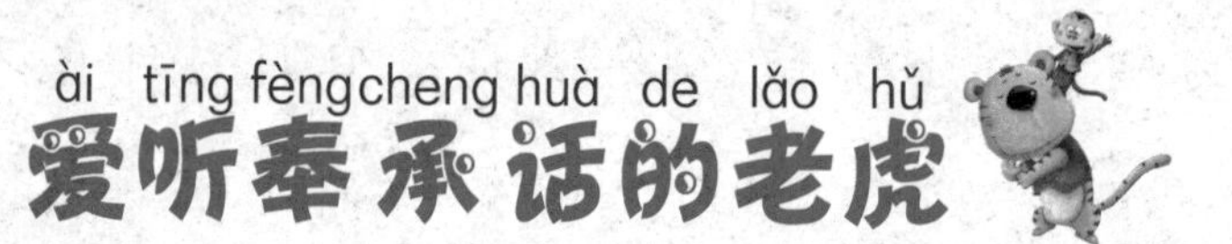

ài tīng fèngcheng huà de lǎo hǔ

爱听奉承话的老虎

sēn lín li yǒu yì zhǒng hóu zi jiào náo shēn shǒu qīng jié shàn yú pá
森林里有一种猴子叫猱，身手轻捷，善于爬

shù yí duì zhuǎ zi xiàng xiǎo dāo yí yàng jiān lì tā jīng cháng xiàng lǎo hǔ xiàn
树，一对爪子像小刀一样尖利。它经常向老虎献

mèi bó qǔ lǎo hǔ de huān xīn
媚，博取老虎的欢心。

lǎo hǔ de tóu pí sān tiān liǎng tóu fā yǎng yǎng jí le jiù zài shù gàn shang
老虎的头皮**三天两头**发痒，痒急了就在树干上

cèng náo róu shēng mì yǔ de shuō lǎo hǔ dà bó zài shù shang cèng duō zāng
蹭。猱柔声蜜语地说：“老虎大伯，在树上蹭多脏

a zài shuō yě bù jiě yǎng a wǒ gěi nín náo ba shuō zhe jiù tiào shang hǔ
啊，再说也不解痒啊，我给您挠吧！”说着就跳上虎

tóu yòng jiān lì de zhuǎ zi gěi lǎo hǔ
头，用尖利的爪子给老虎

náo yǎngyang lǎo hǔ gǎn dào shū fu
挠痒痒。老虎感到舒服

jí le mī feng zhe shuāng yǎn zhí
极了，眯缝着双眼，直

xiǎng dǎ kē shuì náo yuè náo yuè yòng
想打瞌睡。猱越挠越用

jìnr màn mānr de zài lǎo hǔ de hòu
劲儿，慢慢儿地在老虎的后

脑勺上抠了一个小窟窿，把爪子伸进去，一点儿一点儿地掏老虎的脑浆吃。吃够了，就把吐出来的剩渣奉献给老虎：“老虎大伯，趁您打瞌睡的时候，我弄到了一点儿荤腥。我不敢自个儿吃。这些是孝敬您老人家的，您可别嫌少啊！”老虎深受感动，感激地说：“你对我真是**忠心耿耿**，宁愿自己饿着，也不忘孝敬我，我领情了。”说罢，一口就吞了下去。

天长日久，老虎的脑浆被掏空了，头疼得像要裂开一样。它这才发现自己上了猱的当，**挣扎**着要去找猱算账。但是，猱早就躲到高高的树枝上了。老虎恨恨地狂吼着，打了几个骨碌，倒在地上死了。

阅读心得

老虎因为爱听奉承话而错把坏人当好人，最终害了自己。在实际生活中，我们也要提高警惕，不要被甜言蜜语迷惑，不要受坏人的误导，做一个真诚的人、正直的人。

大脖子病人

南岐坐落在四川一带的山谷中。那里的居民很少跟山外人交往。南岐的水很甜，但是缺碘。常年饮用这种水就会得大脖子病。南岐的居民没有一个脖子不大的。有一天，从山外来了一个没有大脖子病的人，轰动了南岐。

居民们扶老携幼都来围观。他们看着看着，就对外地人的脖子议论开了：“哎，他大婶儿，你看那个人的脖子。”“他二嫂，真怪呀，他的脖子怎么那么细那么长，难看

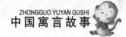

死了！”“干巴巴的，他的脖子准是得了什么病！”“这么细的脖子，走到大街上，该多丢丑！怎么也不用块围巾裹起来呀？”外地人听了，就笑着说：“你们的脖子才有病呢，那叫大脖子病！你们有病不治，反而讥笑我的脖子，岂不笑死人了！”南岐人说：“我们全村人都是这样的脖子，**肥肥胖胖**的，多好看啊！你掏钱请我们治，我们还不干呢！”

明明是自己有病，却因为闭关自守、孤陋寡闻，反说健康的人有病。通过这则寓言，我们可以看到井底之蛙的自大和可笑。其实，我们认识自己是最难的，所以一定要多学习，增长见识，这样才能避免狭隘自大。

给猫起名儿

乔奄家里养了一只猫，自以为非常奇特，就称它为“虎猫”。乔奄经常抱着“虎猫”在客人面前炫耀。有一天，他请客人吃饭，又把“虎猫”抱了出来。客人们为了**讨好**乔奄，争着说好话：“虎虽然勇猛，但是不如龙神奇。我认为应该叫‘龙猫’。”

“不妥，不妥。龙虽然神奇，但是没有云气托住，龙升不到天

上，所以应该叫‘云猫’。”

“云气遮天蔽日，气象不凡，但是一阵狂风就可以把它吹得烟消云散。我建议叫它‘风猫’。”

“大风确实威力无比，但是一堵墙壁就可以挡住狂风。不如叫‘墙猫’。”

“这位的意见我不敢苟同。墙壁虽然可以抵挡风，但是跟老鼠一比就不行了。老鼠可以在墙上打洞。请改名为‘鼠猫’。”

这时，一位老人站了起来：“你们啊，争奇斗胜，把脑子都搞糊涂了。逮老鼠的是谁？不就是猫吗？猫就是猫，搞那么多名堂干什么呀！”

故事中的那些人为了讨好主人，装腔作势，在一只普普通通的猫身上也要大做文章，最后弄得自相矛盾、笑话百出。我们应当踏踏实实，说老实话，办老实事，做老实人。

古琴价高

从前有位制琴技师，名字叫工之侨。一次，他得到一段质地优良的梧桐木。他用这段木头精心制作了一张琴，安上弦以后，弹出的琴声**清亮柔和**，如行云流水，又像金玉撞击，动听极了！工之侨自认为这是天下最好的一张琴了，就把它献给朝廷的乐官。乐官让乐工来鉴定。乐工们一看，都把头摇得像拨浪鼓似的，说："这张琴不是古琴！"

乐官就把琴退还给了工之侨。

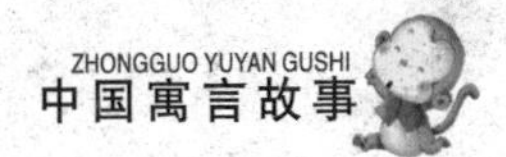

gōng zhī qiáo huí dào jiā li qǐng qī jiang zài qín shēn shang huà le yì tiáo tiáo
工之侨回到家里，请漆匠在琴身上画了一条条

duàn liè wén yòu qǐng zhuàn kè jiā zài qín shēn shang kè xiě le gǔ zì rán hòu bǎ
断裂纹，又请篆刻家在琴身上刻写了古字，然后把

qín yòng xiá zhuāng hǎo mái zài tǔ li yì nián yǐ hòu gōng zhī qiáo bǎ qín cóng
琴用匣装好，埋在土里。一年以后，工之侨把琴从

dì xià wā chu lai dǎ kāi xiá gài yí kàn zhǐ jiàn qín shēn shang zhǎng mǎn le lǜ
地下挖出来，打开匣盖一看，只见琴身上长满了绿

tái hé yí kuài kuài méi bān gōng zhī qiáo biàn dài zhe zhè zhāng qín dào shì chǎng shang qù
苔和一块块霉斑。工之侨便带着这张琴到市场上去

mài yí ge kuò rén yòng gāo jià mǎi zǒu le qín bǎ tā dàng zuò zhēn bǎo xiàn gěi cháo
卖。一个阔人用高价买走了琴，把它当作珍宝献给朝

tíng de yuè guān nà xiē yuè gōng men dǎ kāi qín xiá yí kàn dōu bǎ tóu diǎn de xiàng
廷的乐官。那些乐工们打开琴匣一看，都把头点得像

jī zhuó mǐ shì de lián shēng chēng zàn shuō hǎo qín hǎo qín zhè shì yì
鸡啄米似的，连声称赞说：“好琴，好琴，这是一

zhāng dì dì dào dào de gǔ qín zhēn shì shì shàng shǎo yǒu de zhēn bǎo a
张地地道道的古琴，真是世上少有的珍宝啊！”

同样的一张琴，在工之侨对它进行处理之前和之后，在宫廷乐工那里获得了截然不同的评价。这个故事辛辣地讽刺了那些乐工的虚伪和盲目。其实我们身边也有很多，盲目仿古，盲目崇洋，只看表面而不看实质的人，对这些人我们一定要提高警惕！

hǎi guī hé mǎ yǐ

海龟和蚂蚁

cóng qián dōng hǎi yǒu yì zhī dà hǎi guī tā néng bǎ péng lái shān dǐng zài tóu
从前东海有一只大海龟，它能把蓬莱山顶在头

shang zài hǎi miàn shang zì rú de áo yóu zhù zài jǐ bǎi lǐ dì yǐ wài de yì
上，在海面上自如地遨游。住在几百里地以外的一

zhī hóng mǎ yǐ tīng le guān yú hǎi guī de chuán wén jiù yuē le yì qún mǎ yǐ
只红蚂蚁听了关于海龟的传闻，就约了一群蚂蚁，

fān shān yuè lǐng lái dào hǎi biān xiǎng qīn yǎn kàn kan hǎi guī de běn lǐng
翻山越岭，来到海边，想亲眼看看海龟的本领。

tā men zài hǎi biān děng le zú zú yǒu yí ge duō yuè què shǐ zhōng bú jiàn
它们在海边等了足足有一个多月，却始终不见

hǎi guī fú chu hǎi miàn mǎ yǐ men bú nài fán
海龟浮出海面。蚂蚁们不耐烦

le chǎo zhe yào fǎn huí lǎo jiā tū rán
了，吵着要返回老家。突然，

fēng hū hǎi xiào jù làng pái kōng zhěng
风呼海啸，**巨浪排空**，整

gè dà dì dōu zài zhèn dòng mǎ yǐ men qí
个大地都在震动。蚂蚁们齐

shēng rāng rang hǎi guī chū hǎi le
声嚷嚷：“海龟出海了，

hǎi guī chū hǎi le dà hǎi fèi téng le hǎo jǐ tiān rán hòu fēng tíng le
海龟出海了！”大海沸腾了好几天，然后，风停了，
làng píng le dà dì yě tíng zhǐ le zhèn dòng zhè shí zhǐ jiàn dì píng xiàn shang
浪平了，大地也停止了震动。这时，只见地平线上
yǒu yí zuò qí tiān gāo de dà shān zài màn mānr de yí dòng dǐng zhe zhè zuò gāo shān
有一座齐天高的大山在慢慢儿地移动，顶着这座高山
de zhèng shì nà zhī shén qí de hǎi guī mǎ yǐ men qí shēng hè cǎi jīng tàn bù
的正是那只神奇的海龟。蚂蚁们**齐声喝彩**，惊叹不
yǐ dú yǒu hóng mǎ yǐ piě pie zuǐ shuō hǎi guī dǐng dà shān gēn zán men dǐng mǐ
已。独有红蚂蚁撇撇嘴说：“海龟顶大山跟咱们顶米
lì yǒu shén me liǎng yàng tā dǐng zhe dà shān zài hǎi miàn shang yóu dòng zán men dǐng
粒有什么两样？它顶着大山在海面上游动，咱们顶
zhe mǐ lì zài tǔ duī shang pá xíng tā néng gòu qián rù hǎi dǐ zán men néng gòu
着米粒在土堆上爬行；它能够潜入海底，咱们能够
zuān jin dòng xué wǒ kàn méi shén me liǎng yàng zhǐ shì biǎo xiàn fāng shì bù yí yàng ér
钻进洞穴。我看没什么两样，只是表现方式不一样而
yǐ jì rán zán men zì jǐ jiù yǒu zhè yàng gāo qiáng de běn lǐng hé bì fān shān yuè
已。既然咱们自己就有这样高强的本领，何必翻山越
lǐng lái kàn hǎi guī de biǎo yǎn ne zán men hái shi huí qu ba
岭来看海龟的表演呢？咱们还是回去吧！”

红蚂蚁不但不承认自己力量弱小，而且还通过贬低别人来抬高自己，真是贻笑大方！“虚心使人进步，骄傲使人落后。”对待他人，我们一定要善于发现他们的长处，并且虚心学习，这样自己才能够不断进步。

涸辙之鱼

庄子家里很穷，已经两天揭不开锅了。他只好去向监河侯借粮食。监河侯既吝啬又狡猾，他对庄子说："好！等我从老百姓那儿收到租税以后，就借给你三百两黄金，怎么样？"庄子听了他的话，气得脸色煞白，就说："我到这里来的路上，听到呼救的声音。找了半天，才在泥路的车轮沟里发现一条鲫

yú jì yú dà zhāngzhe zuǐ zhí chuǎnqì wǒ wèn tā jì yú a nǐ wèi
鱼。鲫鱼大张着嘴直喘气。我问它：‘鲫鱼啊，你为
shén me yào hū jiù a jì yú shuō wǒ shì dōng hǎi hǎi shén de chén zǐ
什么要呼救啊？’鲫鱼说：‘我是东海海神的臣子。
jīn tiān luò zài zhè tiáo jí jiāng gān kū de chē lún gōu li nǐ néng gěi wǒ yì shēngbàn
今天落在这条即将干枯的车轮沟里。你能给我一升半
dǒu liáng shuǐ jiù wǒ yí mìng ma wǒ shuō hǎo wǒ jiāng yào dào nán fāng
斗凉水，救我一命吗？’我说：‘好，我将要到南方
qù bài jiàn wú yuè liǎng guó de guó jūn qǐng tā men bǎ xī jiāng de shuǐ yǐn guo lai
去拜见吴、越两国的国君，请他们把西江的水引过来
jiù nǐ zěn me yàng jì yú qì huài le tā shuō wǒ xiàn zài shī qù
救你，怎么样？’鲫鱼气坏了，它说：‘我现在失去
le qǐ mǎ de shēng huó tiáo jiàn zhèng zài shēng sǐ cún wáng de guān tóu zhǐ yào yì
了起码的生活条件，正在**生死存亡**的关头，只要一
piáo liáng shuǐ jiù néng ràng wǒ huó mìng nǐ què shuō le zhè me yí dà duī bù jiě jué
瓢凉水，就能让我活命，你却说了这么一大堆不解决
shí jì wèn tí de fèi huà nǐ bú yòng zài jiáo shé tou le hái shi gān cuì dào xián
实际问题的废话。你不用再嚼舌头了，还是干脆到咸
yú tān shang qù zhǎo wǒ ba
鱼摊上去找我吧！’”

只要一升半斗粮食就可以解决的问题，结果却变成了遥远的华而不实的许诺，这样的许诺又有什么用呢？正所谓远水解不了近渴，凡事要从具体的时间、地点、条件出发，不要做只会说空话、大话、漂亮话的虚伪小人。

棘刺尖儿上雕猴子

燕王到处张贴榜文，征求身怀绝技的能工巧匠。有个卫国人来应征，自称能在荆棘的刺尖儿上雕刻出栩栩如生的猴子。燕王听说他有这样超群的技艺，立刻给他极其优厚的待遇，将他供养在身边。

过了几天，燕王想看看这位巧匠雕刻的艺术珍品。那个卫国人说："大王要是想看的话，必须依我两个条件：一，半年之内不入后宫

yǔ hòu fēi huān jù èr bù hē jiǔ bù chī ròu rán hòu xuǎn yí ge qíng
与后妃欢聚；二，不喝酒，不吃肉。然后选一个晴
tiān cái néng kàn dào wǒ zài jí cì jiānr shang diāo kè de hóu zi yān wáng méi
天，才能看到我在棘刺尖儿上雕刻的猴子。”燕王没
fǎ zhào bàn zhǐ néng jì xù yòng jǐn yī yù shí bǎ zhè ge wèi guó rén gōng yǎng zài
法照办，只能继续用**锦衣玉食**把这个卫国人供养在
wáng gōng
王宫。

gōng nèi yǒu ge tiě jiang tīng dào le zhè jiàn shì duì yān wáng shuō wǒ shì
宫内有个铁匠听到了这件事，对燕王说：“我是
zhuān mén dǎ zhì dāo jù de shuí dōu zhī dào zài xiǎo de kè zhì pǐn yě yào yòng
专门打制刀具的，谁都知道，再小的刻制品也要用
kè dāo cái néng diāo chu lai suǒ yǐ diāo kè de dōng xi yí dìng yào bǐ kè dāo de
刻刀才能雕出来，所以，雕刻的东西一定要比刻刀的
dāo rèn dà rú guǒ jí cì de jiānr xì dào róng bu xià zuì xiǎo de dāo rèn nà
刀刃大。如果棘刺的尖儿细到容不下最小的刀刃，那
jiù méi fǎ zài shàng miàn diāo kè qǐng dà wáng jiǎn chá yí xià nà wèi gōng jiàng de kè
就没法在上面雕刻。请大王检查一下那位工匠的刻
dāo jiù kě yǐ zhī dào zhēn jiǎ le yān wáng lì jí bǎ nà ge wèi guó rén zhǎo
刀，就可以知道真假了。”燕王立即把那个卫国人找
lai wèn nǐ zài jí cì jiānr shang diāo kè hóu zi yòng de shì shén me gōng
来，问：“你在棘刺尖儿上雕刻猴子，用的是什么工
jù wèi guó rén huí dá kè dāo yān wáng shuō qǐng bǎ nǐ
具？”卫国人回答：“刻刀。”燕王说：“请把你
de kè dāo ná gěi wǒ kàn kan wèi guó rén yì tīng jiù huāng le shén jiè kǒu shuō
的刻刀拿给我看看。”卫国人一听就慌了神，借口说
dào zhù chù qù qǔ kè dāo liū chu gōng mén táo pǎo le
到住处去取刻刀，溜出宫门逃跑了。

阅读心得

在荆棘的刺尖儿上雕猴子，这样的谎言就算被人信一时，也不会被人信一世，所以我们应该踏踏实实地做人，认认真真地做事。

jiǎo huá de biān fú

狡猾的蝙蝠

fèng huáng shì bǎi niǎo zhī wáng fèng huáng guò shēng rì bǎi niǎo dōu lái zhù
凤凰是百鸟之王。凤凰过生日，百鸟都来祝
hè wéi dú biān fú méi yǒu lòu miàn fèng huáng bǎ tā zhào lai xùn chì dào
贺，唯独蝙蝠没有露面。凤凰把它召来**训斥**道：
nǐ zài wǒ de guǎn xiá zhī xià jìng gǎn zhè yàng ào màn biān fú dēng zhe shuāng
“你在我的管辖之下，竟敢这样傲慢！”蝙蝠蹬着双
jiǎo shuō wǒ zhǎng zhe shòu jiǎo shì zǒu shòu guó de gōng mín nǐ men fēi qín
脚说：“我长着兽脚，是走兽国的公民。你们飞禽

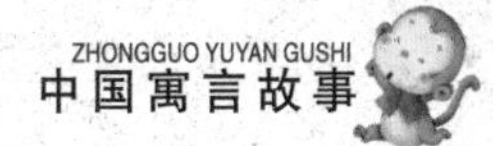

国管得着我吗？”过了几天，麒麟做寿，麒麟是百兽之王，百兽都来拜寿，蝙蝠仍旧没有露面。麒麟把它召来训斥道：“你在我的管辖之下，竟敢如此放肆！”蝙蝠拍拍翅膀说：“我长着双翅，是飞禽国的公民。你们走兽国管得太宽了吧！”有一天，凤凰和麒麟相会了，说到蝙蝠的事，才知道它在两边扯谎。凤凰和麒麟摇头叹息，**不胜感慨**：“现在的风气也太坏了，偏偏生出这样一些不禽不兽的家伙，真是拿它们没有办法！”

蝙蝠在飞禽和走兽两边扯谎，它的诡计终于在凤凰和麒麟见面后被拆穿了。我们做人一定要有自己的原则和立场。那些靠投机钻营谋取私利的家伙只能得逞一时，最终还是会露出真面目，受到大家的唾弃。

蝙蝠究竟是鸟还是兽？为什么？

jié gān jìn chéng
截竿进城

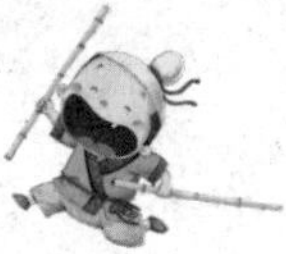

lǔ guó yǒu ge rén káng zhe yì gēn yòu cū yòu cháng de máo zhú jìn chéng dào
鲁国有个人扛着一根又粗又长的毛竹进城。到
le chéng mén kǒu tā bǎ máo zhú shù qi lai ná bèi chéng mén qiǎ zhù le
了城门口，他把毛竹竖起来拿，被城门卡住了；
tā bǎ máo zhú héng zhe ná yòu bèi liǎng biān de chéng qiáng qiǎ zhù le tā zhē teng
他把毛竹横着拿，又被两边的城墙卡住了。他折腾
le bàn tiān lèi de qì chuǎn xū xū hái shi jìn bu liǎo chéng páng biān yǒu
了半天，累得气喘吁吁，还是进不了城。旁边有
ge lǎo tóur biān kàn biān lè nǐ kě zhēn shì ge dà cǎo bāo nǎo dai guā li
个老头儿边看边乐：“你可真是个大草包！脑袋瓜里
jiù zhǐ yǒu yì gēn xián wǒ zhè yí dà bǎ nián jì guò de qiáo bǐ nǐ zǒu
就只有一根弦！我这一大把年纪，过的桥比你走
de lù hái duō nǐ zěn me bù qǐng jiao qǐng jiao wǒ ne káng máo
的路还多，你怎么不请教请教我呢？”扛毛
zhú de rén lián máng xiàng tā dǎ gōng zuò yī nín lǎo duō zhǐ jiào
竹的人连忙向他打躬作揖：“您老多指教

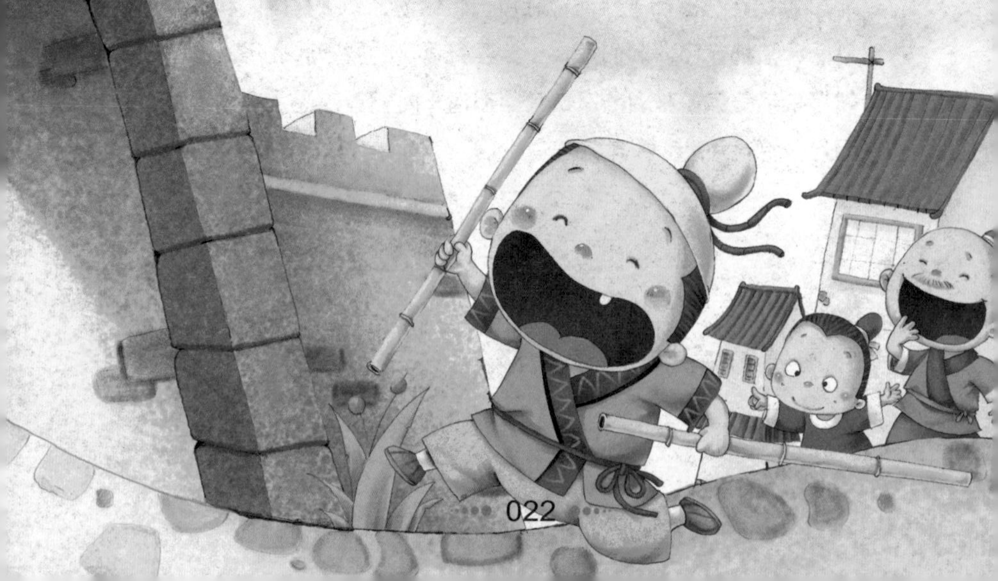

ba lǎo tóur lǚ zhe bái hú zi shuō zhè shìr jiǎn dān nǐ bǎ máo
吧！”老头儿捋着白胡子说：“这事儿简单。你把毛

zhú jù wéi liǎng duàn bú jiù jìn qu le ma máo zhú jù duàn le jiù bù dǐng
竹锯为两段，不就进去了吗？”“毛竹锯断了就不顶

yòng le nà zǒng bǐ nǐ qiǎ zài chéng wài qiáng ba káng máo zhú de rén jiù
用了。”“那总比你卡在城外强吧！”扛毛竹的人就

jiè le bǎ jù zi bǎ máo zhú jù duàn ná jìn chéng qu le
借了把锯子，把毛竹锯断，拿进城去了。

故事中那个扛毛竹的人本来已经愚蠢而可笑了，可是看到后来我们就会发现，那个喜欢摆老资格、教训人的白胡子老头儿更加愚蠢。其实我们身边也有很多这样的老人，他们总是喜欢按老经验、老规矩办事，而不善于灵活变通，我们千万不能跟他们学！

又粗又长 ....

làn yú chōng shù

滥竽充数

zhàn guó shí hou qí guó yǒu wèi guó jūn jiào qí xuān wáng tā xǐ ài yīn
战国时候，齐国有位国君叫齐宣王。他喜爱音
yuè tè bié xǐ huan tīng yú hé zòu chuī yú de yuè duì yuè dà tā tīng de
乐，特别喜欢听竽合奏。吹竽的乐队越大，他听得
yuè qǐ jìnr yǒu ge nán guō xiān sheng jì méi yǒu xué wen yòu bú huì láo
越起劲儿。有个南郭先生，既没有学问，又不会劳
dòng zhuān kào chuī niú pāi mǎ hùn fàn chī tā tīng dào qí xuān wáng yào zǔ zhī
动，专靠**吹牛拍马**混饭吃。他听到齐宣王要组织
dà yuè duì de xiāo xi jiù tuō rén xiàng qí xuān wáng jiè shào shuō zì jǐ shì chuī
大乐队的消息，就托人向齐宣王介绍，说自己是吹
yú de gāo shǒu
竽的高手。

qí xuān wáng hěn gāo xìng qǐng tā jiā rù le yú yuè
齐宣王很高兴，请他加入了竽乐
duì hé zòu de shí hou tā zuò zài sān bǎi rén zǔ chéng
队。合奏的时候，他坐在三百人组成

de yuè duì li sāi bāng zi yì gǔ yì biě shàng bàn shēn qián fǔ hòu yǎng hǎo
的乐队里，腮帮子一鼓一瘪，上半身**前俯后仰**，好
xiàng chuī de shí fēn mài lì qí shí tā de yú yì diǎnr shēng yě méi chū dàn
像吹得十分卖力，其实，他的竽一点儿声也没出。但
shì měi tiān tā dōu hé qí tā yuè shī yí yàng ná gāo xīn chī měi cān yí
是，每天他都和其他乐师一样，拿高薪，吃美餐，一
hùn jiù shì hǎo jǐ nián
混就是好几年。

hòu lái qí xuān wáng sǐ le qí mǐn wáng dāng le guó jūn zhè ge qí
后来，齐宣王死了。齐湣王当了国君。这个齐
mǐn wáng yě xǐ huan tīng yīn yuè dàn shì bú ài tīng hé zòu tā ràng yuè shī
湣王也喜欢听音乐，但是，不爱听合奏。他让乐师
āi gèr dú zòu gěi tā tīng zhè yàng yì lái nán guō xiān sheng hùn bu xià qù
挨个儿独奏给他听。这样一来，南郭先生混不下去
le jiù qiāo qiāo de juǎn qi pū gai liū le
了，就**悄悄**地卷起铺盖溜了。

南郭先生不学习，不劳动，靠欺骗过日子。这样的人虽然也能蒙混一时，但迟早是要露出马脚的。做人应该通过诚实的劳动实现自己的价值，为社会做出自己的贡献。只有这样才能心安理得，受到大家的尊敬。

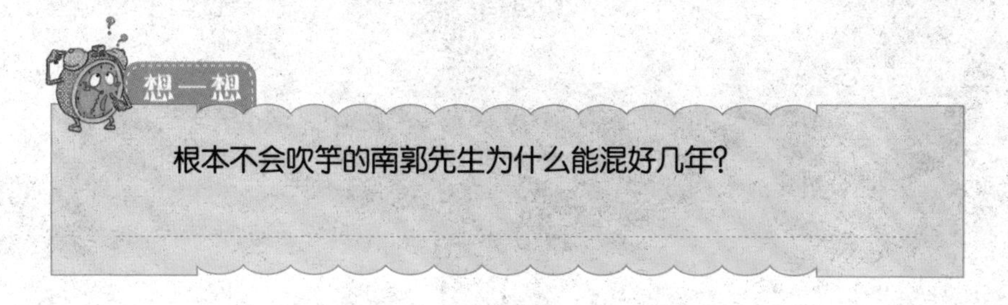

想一想

根本不会吹竽的南郭先生为什么能混好几年?

qí rén tōu jīn
齐人偷金

cóng qián yǒu ge qí guó rén chéng tiān xiǎng dé dào yí kuài jīn zi tā bái tiān
从前有个齐国人，成天想得到一块金子。他白天

xiǎng de shì jīn zi yè li mèng de yě shì jīn zi yǒu yì tiān tā zǎo zǎo de
想的是金子，夜里梦的也是金子。有一天，他早早地

qǐ chuáng chuān hǎo yī fu gǎn dào jí shì shang zǒu jìn yì jiā mǎi mài jīn yín de
起床，穿好衣服，赶到集市上，走进一家买卖金银的

diàn pù cóng guì tái shang zhuā qi yí kuài jīn zi jiù zǒu méi zǒu duō yuǎn tā
店铺，从柜台上抓起一块金子就走。没走多远，他

jiù bèi dà jiā zhuā zhù le niǔ sòng dào guān fǔ
就被大家抓住了，**扭送**到官府。

guān lì wèn tā dāng zhe nà me duō rén de
官吏问他：“当着那么多人的

miàn nǐ jiù gǎn ná rén jia de jīn zi zhè
面，你就敢拿人家的金子，这

shì shén me yuán gù qí guó rén huí dá
是什么**缘故**？”齐国人回答

shuō　wǒ ná jīn zi de shí hou　liǎng zhī yǎn jing kàn jiàn de zhǐ shì jīn zi
说：“我拿金子的时候，两只眼睛看见的只是金子，

gēn běn méi kàn jiàn páng biān hái yǒu nà me duō rén
根本没看见旁边还有那么多人。”

阅读心得

故事中的齐国人财迷心窍，到最后竟然达到了只见金子不见人的地步，堪称利欲熏心的典型。在现实生活当中，一些只想着自己的人也常常会犯这种错误。我们做人不能只想着自己的利益，而应该时刻为大家着想。

照样子　写句子

他白天想的是金子，夜里梦的也是金子。

______想的是______，________也是______________。

凿井得人

宋国有个姓丁的，家里没有井。做饭、浇菜地，都要用水。他家只得派一个劳动力，每天到村外去挑水。后来，姓丁的在家里打了一口井，用水就很方便了。姓丁的逢人便说：“我家凿了一口井，等于得了一个人。”这话三传两传便走了样儿，说成：“丁家凿井挖出一个活人来了。”这事越传越

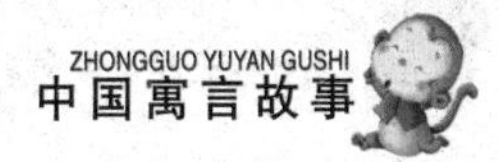

qí, yuè qí yuè chuán, zuì hòu chuán dào sòng guó guó jūn de ěr duo li. sòng jūn
奇，越奇越传，最后传到宋国国君的耳朵里。宋君

jiù pài guān lì dào dīng jiā diào chá. xìng dīng de shuō: "wǒ shuō de shì záo le
就派官吏到丁家调查。姓丁的说：“我说的是凿了

yì kǒu jǐng děng yú dé le yí ge láo dòng lì, bú shì shuō cóng jǐng li wā chū yí
一口井等于得了一个劳动力，不是说从井里挖出一

ge huó rén lai ya!"
个活人来呀！”

本来是说挖了一口井等于得了一个人，三传两传之后，竟然变成了从井里挖出来一个活人，由此可以看出传言的巨大威力。其实在我们身边也充斥着很多这样的谣言，我们一定要加以警惕，对谣言一不听、二不传，这样谣言就会不攻自破。

yǐ yáng tì niú
以羊替牛

gǔ shí hou fán shì guó jiā mǒu jiàn xīn qì wù huò zōng miào kāi shǐ shǐ yòng shí dōu yào shā yì tóu niú huò yì zhī yáng yòng tā men de xiě lái jì sì

古时候，凡是国家某件新器物或宗庙开始使用时，都要杀一头牛或一只羊，用它们的血来祭祀。

yǒu yì tiān qí guó dū chéng li lái le yí ge rén tā qiān zhe yì tóu niú cóng huáng gōng dà diàn qián zǒu guo zhè shí qià zhí qí xuān wáng zài dà diàn mén kǒu tā kàn jiàn le mìng rén jiào zhù nà qiān niú de rén wèn dào nǐ dǎ suàn bǎ zhè tóu niú qiān dào nǎ li qù ne nà rén huí dá shuō wǒ yào qiān

有一天，齐国都城里来了一个人，他牵着一头牛从皇宫大殿前走过。这时，恰值齐宣王在大殿门口，他看见了，命人叫住那牵牛的人，问道："你打算把这头牛牵到哪里去呢？"那人回答说："我要牵

qu zǎi le yòng lai jì zhōng
去宰了用来祭钟。”

qí xuān wáng tīng le hòu kàn le kàn nà tóu niú rán hòu shuō zhè
齐宣王听了后，看了看那头牛，然后说：“这
tóu niú běn lái méi yǒu zuì guò què yào bái bái de qù sǐ kàn zhe tā nà xià
头牛本来没有罪过，却要白白地去死，看着它那吓
de chàn chàn dǒu dǒu duō duo suō suō de yàng zi wǒ zhēn bù rěn xīn a bǎ
得颤颤抖抖、**哆哆嗦嗦**的样子，我真不忍心啊。把
tā fàng le ba nà ge qiān niú de rén shuō dà wáng nín zhēn rén cí
它放了吧！”那个牵牛的人说：“大王您真仁慈，
nà jiù bú jì zhōng le ba zhè zěn me kě yǐ fèi chú ne qí xuān
那就不祭钟了吧？”“这怎么可以废除呢？”齐宣
wáng yán sù qi lai jiē zhe shuō zhè yàng zi ba jiù yòng yì zhī yáng dài
王严肃起来，接着说，“这样子吧，就用一只羊代
tì zhè tóu niú ba
替这头牛吧！”

不忍心杀牛，换成杀羊就忍心了吗？其实杀牛和杀羊都是杀生。对牛的怜悯与对羊的残忍并没有任何不同，都算不上是仁慈。我们做人要光明磊落，是就是是，不是就是不是，而不能虚伪地混淆是非、颠倒黑白！

鲁国少人才

鲁哀公对拜见他的庄子深有感慨地说：“咱鲁国儒士很多，唯独缺少像先生这样精通道学的人才。”庄子听了鲁哀公的判断，却**不以为然**地持否定态度：“别说精通道学的人才少，就是儒士也很缺。”鲁哀公反问庄子：“你看全鲁国的臣民几乎都穿儒服，能说鲁国少儒士吗？”

庄子说：“我听说在儒士中，头戴圆形礼帽的通晓天文；穿方形鞋的精通地理；佩戴五彩丝带系玉玦的，遇事清醒果断。”庄子见鲁哀公认真听着，就接着表示自己的见解：“其实那些造诣很深的儒士平日不一定穿

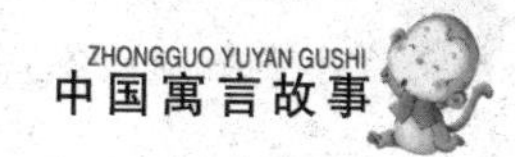

儒服，着儒装的人也未必就有**真才实学**。”

他向鲁哀公建议：“您如果认为我判断得不正确，可以发布命令：凡没有真才实学而穿儒服的儒士一律问斩！”

鲁哀公采纳了庄子的建议，在全国张贴告示。不过五天，鲁国上上下下再也看不见穿儒服的“儒士”了。唯独有一男子汉，穿着儒装立于王宫门前，鲁哀公闻讯立即传旨召见。鲁哀公见来者仪态不俗，就用国家大事考问他。鲁哀公提出的问题**五花八门**，千变万化，对方思维敏捷，对答如流，果然是位饱学之士。

庄子了解到鲁国在下达命令后，仅有一位儒士被国君召进宫回答问题。于是他发表自己的看法：“以鲁国之大，举国上下仅有一名儒士，能说人才济济吗？”

阅读心得

这篇寓言很有讽喻意味，真才实学不是靠衣着来装扮的，形式不能取代实质。我们做人一定要有自己的思想，有自己的真本事，而不能弄虚作假、装腔作势。

玉器和瓦罐

韩昭侯平时说话不大注意，往往在无意间将一些重大的机密事情泄露出去，使得大臣们周密的计划不能实施。大家对此很伤脑筋，却又不好直言告诉韩昭侯。

有一位叫堂溪公的聪明人，自告奋勇到韩昭侯那里去，对韩昭侯说："假如这里有一只玉做的酒器，价值千金，但它中间是空的，没有底，能盛水吗？"韩昭侯说："不能盛水。"堂溪公又说："有一只瓦罐子，很不值钱，但它不漏，您看，它能盛酒吗？"韩昭侯说："可以。"

于是，堂溪公因势利导说："这就是了，一个瓦罐子，虽然卑贱，但因为它不漏，就可以用来装酒；而一个玉做的酒器，尽管十分贵重，但由于它空而无底，因此连水都不能装。人也是一样，作为一个地位至尊、举止至重的国君，如果经常泄露国家机密的话，那么他就好像一件没有底的玉器。即使是再有才干的人，如果他的机密总是被泄露出去，那他的计划也无法实施，因此就不能施展他的才干和谋略了。"

一番话说得韩昭侯恍然大悟，他连连点头说道："你的话真对！你的话真对！"

从此以后，凡是要采取重要措施之时，大臣们在一起密谋策划的计划、方案，韩昭侯都小心对待，慎之又慎，连晚上睡觉都是独自一人。

堂溪公采用正确的方法开导了韩昭侯。这个故事告诉我们，说话一定要注意方式、方法，要善于因势利导。

sī yuán shì dǎ liè
司原氏打猎

cóng qián yǒu yí ge jiào sī yuán shì de rén zài yí cì yè jiān dǎ liè shí
从前，有一个叫司原氏的人在一次夜间打猎时，

fā xiàn le yì zhī lù zhè zhī lù tīng dào yě dì li chuán lai de shēng yīn tū
发现了一只鹿。这只鹿听到野地里传来的声音，突

rán jǐng jué qi lai dāng tā kàn dào sī yuán shì zhèng lā gōng dā jiàn miáo zhǔn zì jǐ
然**警觉**起来。当它看到司原氏正拉弓搭箭瞄准自己

de shí hou sā tuǐ jiù cháo dōng miàn pǎo le sī yuán shì bìng bú qì něi tā zhī
的时候，撒腿就朝东面跑了。司原氏并不气馁，他知

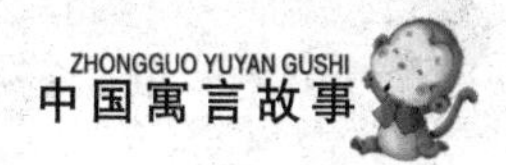

道鹿在大黑天跑不快，于是跟在后面紧紧追赶，并且一边追赶一边大声地喊叫，试图以此把鹿吓蒙。正在这时，西面来了一伙追赶猪的人。他们听到司原氏的喊声，以为是东面有人在**堵截**这头猪，于是就跟着叫喊起来。司原氏不知那伙人在叫喊什么。他听到那边叫喊的人很多，心想必定也是在追赶猎物，于是他放弃了自己追赶的鹿，朝众人叫喊的方向跑去，并且在半路上 找了个地方**隐蔽**起来。那伙人叫着喊着从司原氏隐蔽的地方跑过去了。

过了一会儿，司原氏竟然发现离自己不远的地方有一头浑身白色、肥肥胖胖的笨兽。他十分兴奋，以为自己得到了一头吉祥的珍贵动物。司原氏扑过去把它捉住，然后带着这头吉祥的野兽回了家。

司原氏拿出家中所有精、粗食料来喂养这头珍贵的兽，这头兽也十分亲近司原氏。它一见到司原氏便**摇头摆尾**，朝司原氏发出可爱的“哼哼”声，因此司原氏越发喜爱它了。

没过几天，刮起了狂风，下起了暴雨。暴雨淋在这头白兽身上，将**附着**在它身上的白色泥土全都冲刷掉了。司原氏仔细一看，才发现它原来竟是自己家里丢失的老公猪，而今却被司原氏当作宝贝从外面带回了家里。

阅读心得

故事中的司原氏遇事不动脑筋，在追猪人的叫喊声中放弃了追鹿，结果一无所获。所以说，我们在现实生活中一定要有自己的主见，不能人云亦云，因为随声附和的人追求到手的往往不是真理。

想一想

司原氏为什么没有追到自己的鹿？

huì jí jì yī
讳疾忌医

biǎn què shì yí wèi míng yī yǒu yì tiān tā qù jiàn cài huángōng tā zǐ
扁鹊是一位名医。有一天，他去见蔡桓公。他仔
xì de duān xiáng cài huángōng de qì sè yǐ hòu shuō dà wáng nín dé bìng
细地**端详**蔡桓公的气色以后，说：“大王，您得病
le xiàn zài bìng zhǐ zài pí fū biǎo céng gǎn kuài zhì róng yì zhì hǎo cài
了。现在病只在皮肤表层，赶快治，容易治好。”蔡
huángōng bù yǐ wéi rán de shuō wǒ méi yǒu bìng yòng bu zháo nǐ lái zhì
桓公不以为然地说：“我没有病，用不着你来治！”

guò le shí tiān biǎn què zài qù kàn wàng cài huán gōng tā zháo jí de
过了十天，扁鹊再去看望蔡桓公。他着急地
shuō nín de bìng yǐ jīng fā zhǎn dào jī ròu li le kě děi zhuā jǐn zhì liáo
说：“您的病已经发展到肌肉里了，可得抓紧治疗
a cài huán gōng bǎ tóu yì wāi wǒ gēn běn jiù méi yǒu bìng nǐ
啊！”蔡桓公把头一歪：“我根本就没有病！你
zǒu ba biǎn què zǒu hòu cài huán gōng hěn bù gāo xìng yòu guò le shí
走吧！”扁鹊走后，蔡桓公很不高兴。又过了十
tiān biǎn què zài qù kàn wàng cài huán gōng tā kàn le kàn cài huán gōng de qì
天，扁鹊再去看望蔡桓公。他看了看蔡桓公的气
sè jiāo jí de shuō dà wáng
色，**焦急**地说：“大王，
nín de bìng yǐ jīng jìn rù le
您的病已经进入了
cháng wèi bù néng zài dān wu
肠胃，不能再耽误
le cài huán gōng lián lián
了！”蔡桓公连连
yáo tóu jiàn guǐ wǒ
摇头：“见鬼，我

哪儿来的什么病！”

又过了十天，扁鹊再去看望蔡桓公。他只看了一眼，就掉头走了。蔡桓公心里好生**纳闷**，派人去问扁鹊：“您去看望大王，为什么掉头就走呢？”扁鹊说：“有病不怕，只要治疗及时，一般的病都会慢慢好起来的。怕只怕有病说没病，不肯接受治疗。病在皮肤里，可以用热敷；病在肌肉里，可以用针灸；病到肠胃里，可以喝汤药。但是，现在大王的病已经深入骨髓。病到这种程度只能**听天由命**了，所以，我也不敢再请求为大王治病了。”

果然，五天以后，蔡桓公的病就突然发作了。他打发人赶快去请扁鹊，可是扁鹊已经到别的国家去了。没过几天，蔡桓公就病死了。

阅读心得

如果蔡桓公在扁鹊刚开始指出有病的时候能加以注意，及时医治，也不会有后来病情加重，以致不能治疗的事情发生。其实不光是治病要趁早，我们有了缺点错误，也一定要接受大家的批评，认认真真地及时改过。否则到最后也可能会铸成大错。

míngnián zài gǎi
明年再改

yǒu ge rén zhuānmén tōu lín jū jiā de jī yì tiān tōu yì zhī bù tōu
有个人专门偷邻居家的鸡，一天偷一只，不偷
jiù shǒu xīn fā yǎng bié rén quàngào tā zhè yàng zuò tài bú dào dé le zài
就手心发痒。别人劝告他：“这样做太不道德了。再
tōu xia qu bú huì yǒu hǎo xià chǎng de gǎn kuài gǎi le ba zhè ge tōu jī
偷下去，不会有好下场的，赶快改了吧！”这个偷鸡
zéi yě xiǎng xǐ shǒu bú gàn le dàn shì xià bu liǎo jué xīn tā duì quàngào de rén
贼也想洗手不干了，但是下不了决心，他对劝告的人
shuō hǎo ba wǒ tīng nín de dàn
说：“好吧，我听您的。但
shì wǒ de tōu yǐn tài dà le yào wǒ
是，我的偷瘾太大了，要我
mǎ shàng xiē shǒu wǒ bàn bu dào zhè yàng
马上歇手，我办不到。这样

吧，以前我每天偷一只鸡，从明天开始，改为每月偷一只，到明年就可以彻底不偷了。”

阅读心得

一天偷一只鸡是偷，改为一个月偷一只鸡就不算偷了吗？这则寓言告诉我们：一个人有缺点甚至错误是不奇怪的，但是，明知道是错的，还要去做，就不能原谅了。对待自己的缺点、错误决不能宽容，否则只会越陷越深，以致不能自拔。

好词积累卡

动词

劝告　　歇手

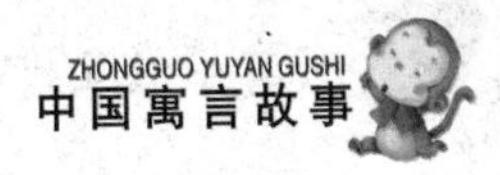

泥偶与木偶

山东省境内的淄水河畔，有一个泥塑的人偶和一个木雕的人偶。在天旱无雨的季节，泥偶和木偶曾有一段**朝夕相处**的经历。时间一长，木偶渐渐看不起泥偶，因此总想找机会讥笑它。一天，木偶带着嘲笑的口吻对泥偶说："你原本是淄水西岸的泥土，人们把泥土揉和起来捏成了你。别看你现在有模有样，**神气十足**，等八月一到，大雨哗哗而下，淄水一下子猛涨起来，你很快就会被水泡成一堆稀泥了。”那泥偶并不在意，它以十分严肃的口吻对木偶说：“谢谢你的关心，不过，事情并不像你所说的那样可怕。既然我是用淄水西岸的泥土捏成的泥人，即使被水冲得**面目全非**，变成了一堆稀泥，也仅仅是还了我原来的面目，让我回到淄水西岸罢了。而你倒是要仔细地想一想，你本来是东方的一块桃木，后来被雕成了人形。一旦到了八月，大雨倾盆而下，引起淄水猛涨，波浪滚滚的河水将把你冲走。那时，你只能随波逐流，不知会漂泊到什么地方。老兄，你还是多为自己的命运操操心吧！”

木偶只想着泥偶的短处，讥笑人家，却没有意识到其实它最应该担心的是自己。这则寓言告诉我们，在实际生活中，不要做自以为高人一等的“聪明人”，在嘲笑别人的时候，应该多想想自己的不足之处。只有这样，才能够不断进步。

cán hé zhī zhū de duì huà
蚕和蜘蛛的对话

yǒu yì tiān zhī zhū duì cán shuō nǐ měi tiān chī bǎo sāng yè yì tiān
有一天，蜘蛛对蚕说：“你每天吃饱桑叶，一天

tiān zhǎng dà rán hòu cóng nèn huáng de zuǐ li tǔ chu cháng sī zhī chéng jiǎn ké
天长大，然后从嫩黄的嘴里吐出长丝，织成茧壳，

bǎ zì jǐ láo láo de fēng guǒ qi lai cán fù bǎ nǐ fàng jin kāi shuǐ zhōng chōu chu
把自己牢牢地封裹起来。蚕妇把你放进开水中，抽出

cháng sī zuì hòu huǐ le nǐ de shēn qū hé jiǎn ké nǐ kǒu tǔ yín sī de jué
长丝，最后毁了你的身躯和茧壳。你口吐银丝的绝

jì qià qià chéng le shā sǐ zì jǐ de shǒu duàn zhè yàng zuò
技恰恰成了杀死自己的手段，这样做

bú shì tài yú chǔn le ma cán huí dá wǒ gù
不是太愚蠢了吗？”蚕回答：“我固

rán shì shā sǐ le zì jǐ dàn shì wǒ tǔ chu de yín
然是杀死了自己，但是，我吐出的银

sī kě yǐ zhī chéng jīng měi de chóu duàn huáng dì chuān de lóng
丝可以织成精美的绸缎。皇帝穿的龙

袍，百官穿的朝服，哪一件不是用我吐出的长丝织成的？你也有吐丝织网的绝技。你张开罗网，坐镇中央，蝴蝶、蜜蜂、蚊子……只要撞入你的罗网，就统统成了你口中的美餐，没有一个能够幸免。你的技术是够高超的了，但专门用来捕杀别的动物，是不是太残忍了呢？”蜘蛛很**不以为然**：“为别人打算，说得多好听！我宁愿为自己！”

但愿世界上多一些像蚕一样的人。

阅读心得

故事中的蜘蛛想的只是自己，而蚕却具有无私的奉献精神。这反映了两种对立的人生观：为大家与为自己。正所谓“春蚕到死丝方尽”，让我们发扬“春蚕精神”，把自己培养成为具有高度社会责任感的好少年。

想一想

蚕和蜘蛛所吐出的丝作用有什么不同？

qiān jīn mǎi mǎ shǒu
千金买马首

gǔ dài yǒu ge guó jūn yuàn yì chū zhòng jīn mǎi yì pǐ qiān lǐ mǎ dàn mǎi
古代有个国君，愿意出重金买一匹千里马，但买
le sān nián yě méi néng mǎi dào zhè zhuāng shì chéng le guó jūn zuì dà de xīn bìng
了三年也没能买到。这桩事成了国君最大的心病。
yǒu ge tài jiàn duì guó jūn shuō qǐng yǔn xǔ wǒ qù xún fǎng qiān lǐ mǎ wèi bì
有个太监对国君说：“请允许我去寻访千里马，为陛
xià jiě yōu guó jūn shí fēn gāo xìng ràng tā dài le yì qiān liǎng huáng jīn lì
下解忧。”国君十分高兴，让他带了一千两黄金立
jí shàng lù zhè wèi tài jiàn zǒu biàn quán guó dào chù xún fǎng yòng le zhěng zhěng
即上路。这位太监走遍全国，到处寻访，用了整整
sān ge yuè shí jiān cái dǎ ting dào mǒu dì yǒu yì pǐ qiān lǐ mǎ tā lì jí gǎn dào
三个月时间才打听到某地有一匹千里马。他立即赶到

那儿，不巧，这匹千里马已经老死了。怎么办呢？太监经过再三考虑，决定花五百两金子买下这匹死马的脑袋，带回国都，献给君王。太监回到国都，国君见是一颗死马的脑袋，**勃然大怒**：“我要的是能够日行千里的骏马，你却花了五百两黄金买回来一颗发臭的马脑袋，居心何在？你戏弄国君，还想不想活？”太监不慌不忙地说：“请陛下息怒，千里马非常难求。没有十分的诚意，马主是不肯轻易出手的。现在陛下连死去的千里马的脑袋都肯用五百两黄金购买，活马就更不用说了。陛下访求千里马的诚意一定会很快传遍天下，要不了多久，日行千里的骏马就会送到陛下面前。”果然，不到一年的时间，各地就送来了三匹千里马。

连死去的千里马的马首都肯重金相求，拥有千里马的人看到了，自然甘心为君效命。这则故事告诉我们，要真心实意地与人交往，这样别人也会以十分的诚意对待我们。

为学篇

知识是力量，是无法衡量的巨额财富，是开启成功之门的钥匙，求知为学之路是充实而永无止境的。

chǔ rén tōu dù
楚人偷渡

chǔ guó rén xiǎng tōu xí sòng guó xiān pài rén zhú duàn cè liáng yōng shuǐ de shēn dù bìng xuǎn zé yí chù zuì qiǎn de dì duàn zuò hǎo le biāo zhì zhǔn bèi cóng nà li dù hé méi xiǎng dào xíng dòng de nà tiān bàng wǎn yōng shuǐ tū rán měng zhǎng chǔ guó rén bù zhī dào zài shēn gēng bàn yè réng jiù àn zhào yuán xiān shè xia de

楚国人想偷袭宋国，先派人逐段测量澭水的深度，并选择一处最浅的地段，做好了标志，准备从那里渡河。没想到行动的那天傍晚，澭水突然猛涨。楚国人不知道，在**深更半夜**，仍旧按照原先设下的

biāo zhì kāi shǐ tōu dù jié guǒ dù hé de yì qiān duō míng shì bīng quán bù bèi jī
标志开始偷渡。结果，渡河的一千多名士兵全部被激

liú juǎn zǒu chǔ jūn jīng kǒng wàn zhuàng
流卷走。楚军惊恐万状。

阅读心得

河水是会涨落的，给河水做标记进行偷渡最终只会误了大事，甚至危及自身的安全。生活中我们必须要明白，世界上的一切事物都在运动、变化、发展着。我们一定要不断研究新情况，使自己的认识跟上客观事物的发展变化。

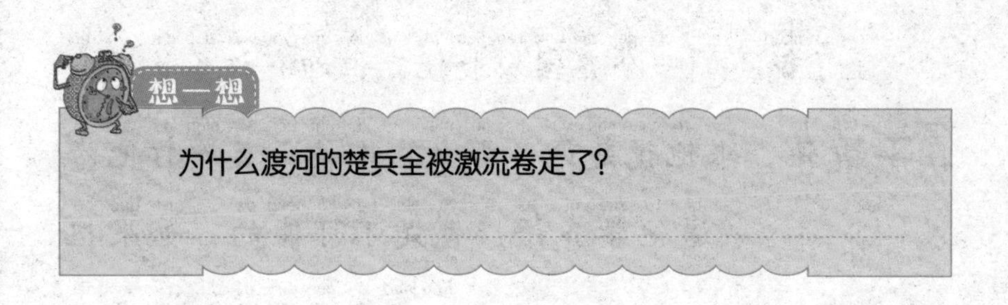

想一想

为什么渡河的楚兵全被激流卷走了？

chǔ rén xué qí yǔ
楚人学齐语

mèng zǐ duì sòng guó dà chén dài bú shèng shuō rú guǒ yǒu ge chǔ guó de dà fū xiǎng ràng tā de ér zi xué shuō qí guó de yǔ yán nà me shì ràng qí guó rén jiāo tā ne hái shi ràng chǔ guó rén jiāo tā dài bú shèng huí dá dāng rán shì ràng qí guó rén jiāo tā

孟子对宋国大臣戴不胜说：“如果有个楚国的大夫，想让他的儿子学说齐国的语言，那么是让齐国人教他呢，还是让楚国人教他？”戴不胜回答：“当然是让齐国人教他。”

mèng zǐ shuō yí ge qí guó rén jiāo tā dàn què yǒu xǔ duō chǔ guó rén zài gān rǎo tā gēn tā shuō chǔ yǔ nà me jí shǐ tiān tiān biān dǎ tā bī tā xué qí yǔ yě shì bù kě néng de rú guǒ bǎ tā lǐng dào qí guó guó dū lín zī chéng nèi zuì fán huá de jiē shì ràng

孟子说：“一个齐国人教他，但却有许多楚国人在干扰他，跟他说楚语，那么，即使天天鞭打他，逼他学齐语，也是不可能的；如果把他领到齐国国都临淄城内最繁华的街市，让

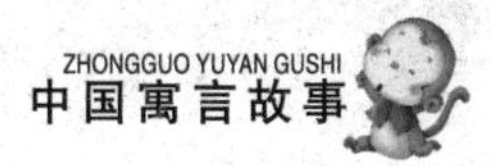

tā zài nà li zhù shang jǐ nián, nà me, jiù suàn tiān tiān zé dǎ tā, yào tā jiǎng
他在那里住上几年，那么，就算天天责打他，要他讲

chǔ yǔ, nà yě zuò bu dào le
楚语，那也做不到了。”

阅读心得

在语言学习上，由此可见周围环境对人的影响是很大的。其实不光学习语言是这样，培养品德也是如此。我们要努力让自己处在一个好的生长环境中，免受不良事物的危害。

照样子 写句子

如果把他领到齐国国都临淄城内最繁华的街市，让他在那里住上几年，那么，就算天天责打他，要他讲楚语，那也做不到了。

如果______________，那么________________。

dōng shī xiào pín
东施效颦

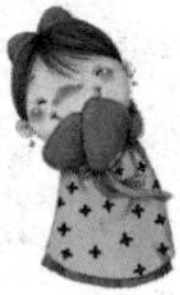

cóng qián yuè guó yǒu ge chū míng de měi nǚ míng zi jiào xī shī tā de
从前，越国有个出名的美女，名字叫西施。她的
yì jǔ yí dòng dōu ràng rén gǎn dào hěn měi tā yǒu xīn kǒu téng de bìng jīng cháng
一举一动都让人感到很美。她有心口疼的病，经常
yòng shuāng shǒu wǔ zhe xiōng kǒu zhòu zhe méi tóu dàn jiù shì zhè zhǒng bìng tài
用双手捂着胸口，皱着眉头。但就是这种病态，
yě shǐ tā xiǎn de fèn wài wǔ mèi tóng cūn yǒu ge zhǎng de hěn chǒu de nǚ zǐ míng
也使她显得分外妩媚。同村有个长得很丑的女子，名
zi jiào dōng shī tā yǐ wéi xī shī zhī suǒ yǐ měi jiù shì yīn wèi jīng cháng wǔ zhe
字叫东施。她以为西施之所以美，就是因为经常捂着

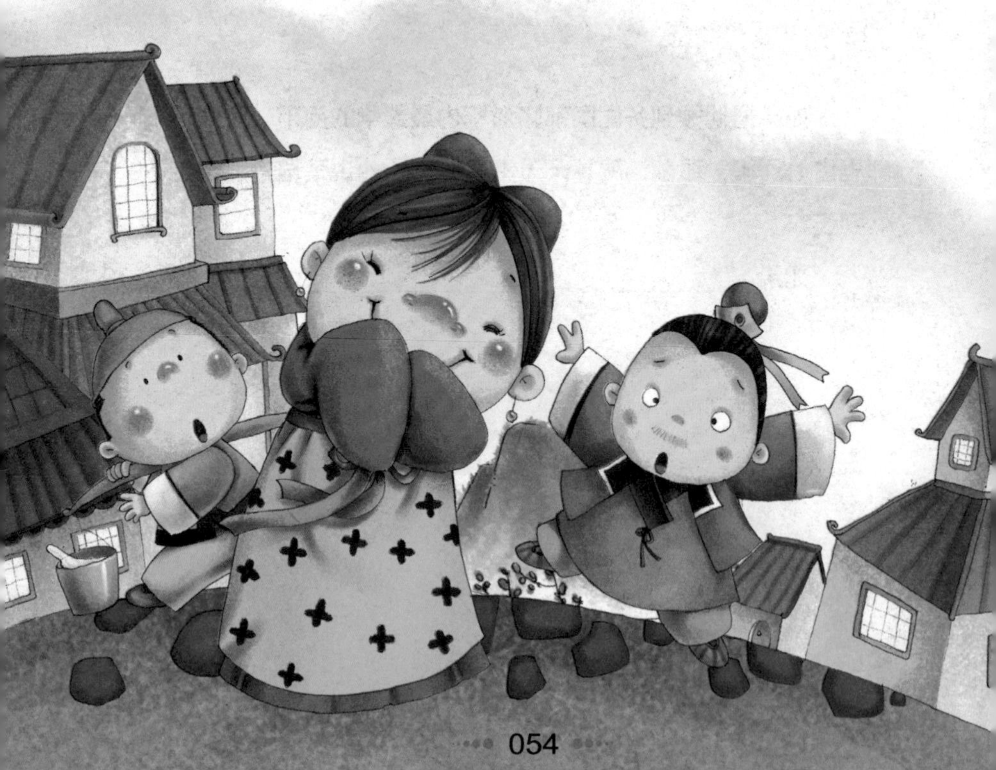

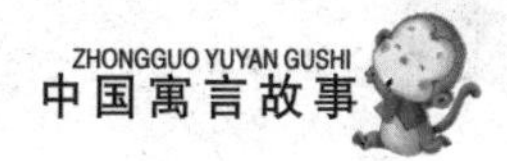

xiōngkǒu zhòu zhe méi tóu yú shì dōng shī yě xué zhe xī shī de yàng zi yì
胸口，皱着眉头。于是，东施也学着西施的样子，一

chū mén jiù yòng shuāng shǒu wǔ zhe xiōng kǒu bǎ méi tóu zhòu de jǐn jǐn de zǒu yí
出门就用双 手捂着胸口，把眉头皱得紧紧的，走一

bù niǔ sān niǔ zhuāng chu yí fù ruò bù jīn fēng de bìng tài
步扭三扭，装出一副**弱不禁风**的病态。

dōng shī de wú bìng shēn yín jiǎo róu zào zuò shǐ rén jiàn le jiù ě xīn
东施的无病呻吟，矫揉造作，使人见了就恶心。

zhǐ yào dōng shī yì niǔ chu jiā mén yǒu de rén jiù gǎn kuài bǎ dà mén guān jǐn yǒu
只要东施一扭出家门，有的人就赶快把大门关紧，有

de rén jiù lián máng lǐng zhe zǐ nǚ yuǎn yuǎn de duǒ dào cūn wài qù le
的人就连忙领着子女远远地躲到村外去了。

东施自身长得不漂亮，却还偏偏要学美丽的西施，结果只能被大家耻笑。这则寓言告诉我们，向别人学习要有正确的态度，一定要从自己的实际情况出发。如果盲目仿效、生搬硬套，那么很可能收到适得其反的效果。

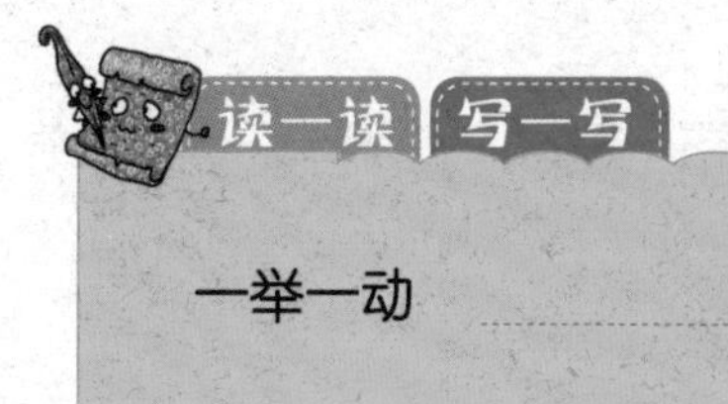

一举一动 ________ ________

hán dān xué bù

邯郸学步

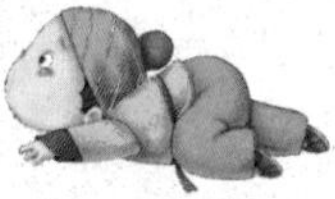

cóng qián yān guó shòu líng yǒu yí ge rén zǒng xián dāng dì rén zǒu lù de zī
从前，燕国寿陵有一个人，总嫌当地人走路的姿
shì bù hǎo kàn hòu lái tā tīng shuō zhào guó guó dū hán dān de rén zǒu qǐ lù lai
势不好看。后来，他听说赵国国都邯郸的人走起路来
tè bié dài jìnr jiù jué xīn dào hán dān qù xué zǒu lù yí jìn hán dān chéng
特别带劲儿，就决心到邯郸去学走路。一进邯郸城，
tā kàn dào lù shang de xíng rén wú lùn shì lǎo de hái shi xiǎo de zǒu qǐ lù lai
他看到路上的行人，无论是老的还是小的，走起路来
dōu fèn wài yōu yǎ yì jǔ shǒu yì tóu zú dōu dài yǒu zhào guó guó dū jū mín
都分外**优雅**，一举手、一投足都带有赵国国都居民
tè yǒu de fēng dù nà ge yān guó rén
特有的风度。那个燕国人
jiù gēn zài xíng rén hòu miàn yì niǔ yì bǎi
就跟在行人后面一扭一摆
de xué qi lai
地学起来。

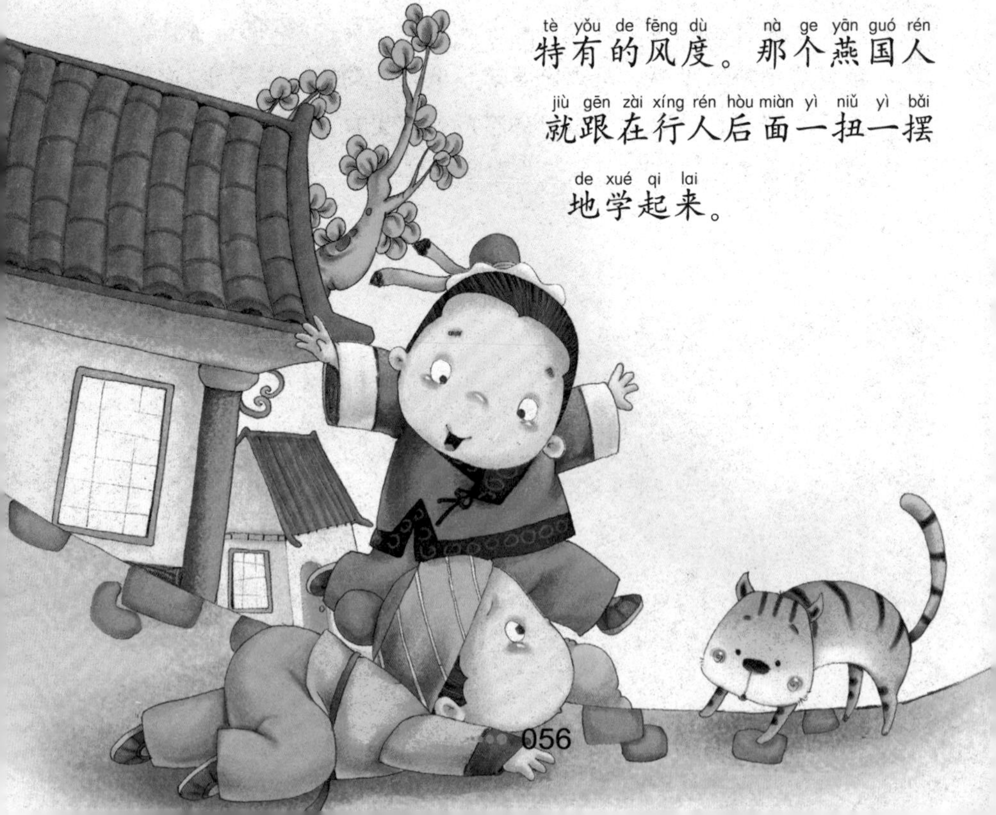

学了几天，不见进步，他想：“一定是我走路的习惯太顽固了，只有把原来的走法彻底忘掉，才有可能学到新的走法。”他决心从头学起，怎么抬腿，怎么跨步，怎么摆手，怎么扭腰，都机械地模仿邯郸人。这样，过了一段时间，新的走法没有学会，原来的走法倒真的忘记了。当他返回燕国的时候，他连路都不会走了，只好爬着回去。

做人不自信，连走路都要跟人家学，结果人家的走法没学会，连自己的走法都忘了。在现实生活中，我们向别人学习时一定要注意这一点，不能盲目生搬硬套，而应该从实际出发，学别人的长处，补自己的短处。

想一想

这个人为什么最后是爬着回去的？他为什么没学会赵国人的走路方式？

jīng gōng zhī niǎo
惊弓之鸟

gēng léi péi tóng wèi wáng sàn bù kàn jiàn yuǎn chù yǒu yì zhī dà yàn fēi lai
更赢陪同魏王散步，看见远处有一只大雁飞来。
tā duì wèi wáng shuō wǒ bú yòng jiàn zhǐ yào xū lā gōng xián jiù kě yǐ
他对魏王说：“我不用箭，只要虚拉弓弦，就可以
ràng nà zhī fēi niǎo diē luò xia lai wèi wáng tīng
让那只飞鸟**跌落**下来。”魏王听
le sǒng jiān yí xiào nǐ de shè jiàn jì shù jìng
了，耸肩一笑：“你的射箭技术竟
néng gāo chāo dào zhè děng dì bù gēng léi zì xìn de
能高超到这等地步？”更赢**自信**地
shuō néng bù yí huìr nà zhī dà yàn fēi
说：“能。”不一会儿，那只大雁飞

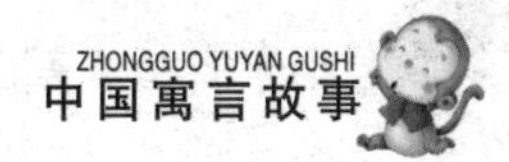

到了他们头顶上空。只见更羸拉弓扣弦，随着“嘣”的一声弦响，只见大雁先是向高处猛地一蹿，随后在空中无力地扑打几下，便一头栽落下来。魏王惊奇得半天合不拢嘴，拍掌大叫道：“啊呀，箭术竟能高超到这等地步，真是**意想不到**！”更羸说：“不是我的箭术高超，而是这只大雁身有隐伤。”魏王更奇怪了：“大雁远在天边，你怎么会知道它有隐伤呢？”更羸说：“这只大雁飞得很慢，鸣声悲凉。根据我的经验，飞得慢，是因为它体内有伤；鸣声悲，是因为它长久失群。这只孤雁创伤未愈，惊魂不定，所以一听见尖利的弓弦响声便惊逃高飞。由于急拍双翅，用力过猛，引起旧伤迸裂，它才跌落下来。”

阅读心得

更羸细致地观察，严密地分析，准确地判断，虚拉弓弦射落了天上的孤雁。这种观察、分析、判断的能力，只有通过长期刻苦的学习和实践才能培养出来，这是我们学习时需要了解和借鉴的。

jì chāng xué shè

纪昌学射

gān yíng shì gǔ dài chū míng de shén jiàn shǒu zhǐ yào tā yì lā gōng shè
甘蝇是古代出名的神箭手。只要他一拉弓，射
shòu shòu dǎo shè niǎo niǎo luò fēi wèi shì gān yíng de xué sheng yóu yú qín xué kǔ
兽兽倒，射鸟鸟落。飞卫是甘蝇的学生，由于勤学苦
liàn tā de jiàn shù chāo guò le lǎo shī yǒu ge rén míng jiào jì chāng mù míng qián
练，他的箭术超过了老师。有个人名叫纪昌，慕名前
lái bài fēi wèi wéi shī fēi wèi duì tā shuō nǐ xiān yào xué huì zài rèn hé qíng
来拜飞卫为师。飞卫对他说：“你先要学会在任何情
kuàng xia dōu bù zhǎ yǎn jing yǒu le zhè yàng de běn lǐng cái tán de shàng xué shè
况下都不眨眼睛。有了这样的本领，才谈得上学射
jiàn jì chāng huí dào jiā li jiù yǎng miàn tǎng zài tā qī zi de
箭。”纪昌回到家里，就仰面躺在他妻子的
zhī bù jī xia liǎng yǎn sǐ sǐ dīng zhù lái lái huí huí kuài sù yí
织布机下，两眼死死盯住来来回回快速移
dòng de suō zi
动的梭子。

两年以后，即便拿着针朝他的眼睛刺去，他的眼睛也一眨不眨了。纪昌高兴地向飞卫报告了这一成绩。飞卫说：“光有这点儿本领还不行，还要练出一副好眼力，极小的东西你要能看得一清二楚。”纪昌回到家里，捉了一只虱子，用极细的牛尾巴毛拴住，挂在窗口。他天天朝着窗口目不转睛地盯着它瞧。十多天过去了，那只虱子在纪昌的眼里慢慢儿地大了起来。三年以后，这只虱子在他眼睛里竟有车轮那么大。他再看稍大一点儿的东西，简直都像小山似的。纪昌就拉弓搭箭，朝着虱子射去。那支利箭竟直穿虱子的中心，而细如发丝的牛尾巴毛却没有被碰断。纪昌高兴极了，向飞卫报告了这新的成绩。飞卫连连点头，笑着说：“功夫不负苦心人，你成功啦！”

阅读心得

纪昌之所以能够获得成功，最重要的一个前提就是打好了坚实的基础。我们学习任何知识和技艺，都必须有顽强的毅力，循序渐进，打下扎扎实实的基础。

lǔ bān kè fèng

鲁班刻凤

lǔ bān shì gǔ dài zhù míng de néng gōng qiǎo jiàng yǒu yí cì tā jīng xīn kè
鲁班是古代著名的能工巧匠。有一次，他精心刻
zhì yì zhī fèng huáng gōng zuò cái jìn xíng dào yí bàn fèng guān hé fèng zhǎo hái méi yǒu
制一只凤凰。工作才进行到一半，凤冠和凤爪还没有
kè wán cuì yǔ yě méi yǒu pī shang páng guān de rén men jiù zài zhǐ zhǐ diǎn diǎn
刻完，翠羽也没有披上，旁观的人们就在指指点点，
píng tóu pǐn zú le yǒu de zhǐ zhe méi yǒu yǔ máo de fèng shēn shuō shì xiàng yì
评头品足了。有的指着没有羽毛的凤身，说是像一
zhī bái máo lǎo yīng yǒu de mō zhe méi ān yǔ guān de fèng tóu
只白毛老鹰；有的摸着没安羽冠的凤头，

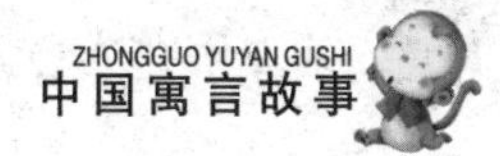

chēng tā wéi tū tóu bái é rén men dōu zài cháo xiào lǔ bān de bèn zhuō
称它为秃头白鹅。人们都在嘲笑鲁班的笨拙。

lǔ bān méi yǒu lǐ huì rén men de cháo fěng jì xù jīng xīn diāo zhuó dài
鲁班没有理会人们的**嘲讽**，继续精心雕琢。待

dào wán gōng de shí hou rén men jiǎn zhí jīng dāi le cuì lǜ de qín guān gāo gāo
到完工的时候，人们简直惊呆了：翠绿的禽冠高高

sǒng lì zhū hóng de fèng zhǎo shǎn shǎn fā liàng quán shēn jǐn xiù bān de yǔ máo shǐ
耸立，朱红的凤爪闪闪发亮，全身锦绣般的羽毛使

fèng huáng xiàng pī shang le wǔ cǎi bīn fēn de xiá guāng liǎng zhī měi lì de chì bǎng
凤凰像披上了五彩缤纷的霞光，两只美丽的翅膀

yì zhāng yì hé xiàng shēng qi le yí dào dào cǎi hóng lǔ bān bō dòng jī guān
一张一合，像升起了一道道彩虹。鲁班拨动机关，

fèng huáng zhāng kai chì bǎng zài wū liáng de shàng xià pán xuán fān fēi zhěng zhěng sān
凤凰张开翅膀，在屋梁的上下盘旋翻飞，整整三

tiān bú luò dì miàn yú shì rén men fēn fēn zàn měi fèng huáng de shén cǎi
天不落地面。于是，人们纷纷**赞美**凤凰的神采，

chēng dào lǔ bān de qí cái
称道鲁班的奇才。

凤凰还没有刻成，人们就开始评头品足。他们都只从自己看到的那个角度加以评述，结论当然是不对的。这则寓言告诉我们要学会客观、全面地观察事物。对于不符合事实的议论，最好的回答就是像鲁班那样——拿出实际的成果来。

庖丁解牛

有一天，梁惠王走进厨房，看到一位厨师正在切割一头已经被宰杀的牛。厨师的动作轻松自如，牛刀一进，“哗”的一声，骨肉就分离开来。梁惠王不禁点头赞许：“好极了，你的技术真是高超！”厨师回答说：“这是经过多年的琢磨苦练出来的。刚开始，我看到的是一头头全牛，简直不知道从哪儿

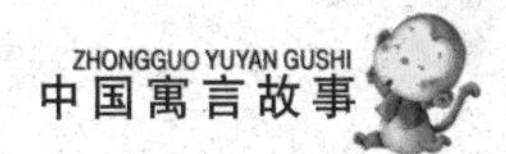

下刀才好。三年以后，在我的眼睛里就只有牛的骨缝空隙，再也看不到全牛了。现在，我用心神去指挥手的动作。我顺着牛体的组织结构，把刀子插进筋骨之间的缝隙中，自然地进刀。那些不容易切开的地方，比如筋骨与筋肉聚结的地方，我的刀从来不去触及，更不要说那些大骨头了。好的厨师，一般是一年换一把刀，因为他们用刀割肉，刀自然会钝的；蹩脚的厨师，很多是一个月换一把刀，因为他们是用刀去砍骨头的。我现在这把刀，已经用了十九年了，切割的牛少说也有几千头，然而刀锋还是像刚刚磨过那样锋利。要知道，牛的骨节之间是有空隙的，刀却很薄，用薄刀伸进有空隙的骨缝中，只要掌握得准确，就会感到宽宽绰绰，刀子有足够的活动余地。话虽然这么说，每次遇到筋骨交错的地方，我还是全神贯注，**小心翼翼**，准确地进刀，然后轻轻一动，牛肉便“哗”的一下子分解开来，像一摊泥一样铺在地上。每到这个时候，我心里特别高兴，看着自己

de láo dòng chéng guǒ xiàng xīn shǎng yì shù pǐn yí yàng rán hòu wǒ bǎ dāo kāi shì gān
的劳动成果像欣赏艺术品一样。然后我把刀揩拭干
jìng hǎo hāor de shōu cáng qi lai
净，好好儿地收藏起来。”

liáng huì wáng tīng le chú shī de zhè yì fān huà gāo xìng de shuō jiǎng de
梁惠王听了厨师的这一番话，高兴地说：“讲得
zhēn hǎo wǒ cóng zhōng wù chu le bù shǎo dào lǐ
真好！我从中悟出了不少道理。”

故事中的庖丁之所以能把一套解牛的平凡动作练得像从事一门艺术一样，最主要的原因就是他经过了长期的实践和钻研。生活中也是一样，小朋友们正处在学习阶段，不仅需要掌握知识，更要注意培养观察和分析的能力，从两个方面打下坚实的基础。

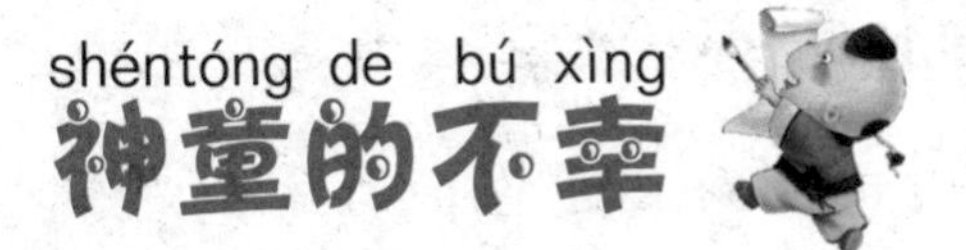

shéntóng de bú xìng
神童的不幸

yǒu ge xiǎo háir jiào fāng zhòng yǒng chū shēng zài yí ge nóng rén jiā tíng
有个小孩儿叫方仲永，出生在一个农人家庭。
tā jiā li zǔ zǔ bèi bèi dōu shì zhòng tián rén méi yǒu yí ge wén huà rén tā
他家里祖祖辈辈都是种田人，没有一个文化人。他
zhǎng dào wǔ suì le hái cóng wèi jiàn guo bǐ mò zhǐ yàn shì ge shén me mú yàng
长到五岁了，还从未见过笔墨纸砚是个什么模样。

kě shì yǒu yì tiān fāng zhòng yǒng tū rán kū zhe xiàng jiā li rén yào bǐ mò zhǐ
可是有一天，方仲永突然哭着向家里人要笔墨纸
yàn shuō xiǎng xiě shī
砚，说想写诗。

tā fù qin gǎn dào shí fēn
他父亲感到十分

惊讶，马上从邻居那里借来笔墨纸砚。方仲永拿起笔写了四句诗，而且还给诗写了个题目。同乡的几个读书人知道了这件事，都跑到方仲永家来看，一致认为他写得不错，于是这件事很快传开了，知道的人个个称奇。从此，方仲永家热闹起来，经常有人来他家玩，有的当场出题要小仲永作诗。小仲永不论什么题目，都能立刻成诗，而且内容深刻雅致，文采绚丽，得到众人赞赏。

不久，方仲永的天才事迹传到了县里，引起了很大震动，人们都认为他是个神童。县里那些名流、富人，十分欣赏方仲永。他父亲的地位也随着提高了不少。那些人对方仲永的父亲另眼相看，还经常拿钱帮助他。于是，方仲永的父亲便认为这是件有利可图的事情，于是放弃了让方仲永上学读书的念头，而是每天带着方仲永轮流拜访县里的那些名流、富人，找机会表现方仲永的作诗天分，以博得那些人的夸赞和奖励。

这样一来，神童渐渐才思不济，久而久之，由于只一味凭着一点儿“天才”而没有后天的再学习，方仲永诗的质量每况愈下。到十二三岁时，他作的诗比以前**大为逊色**，前来与他谈诗的人感到很是失望。到了二十岁时，他的才华已全部消失，跟一般人并无什么不同，人们都遗憾地摇着头，可惜一个天资聪颖的少年最终变成了一个平庸的人。

阅读心得

本来是一个世间少有的天才，可是因为没有后天的努力，神童最后也变成了庸才。由此可见，一个人光有先天的智慧而不注重后天的学习是不行的，不注意接受新知识，到头来只会落在别人的后面。

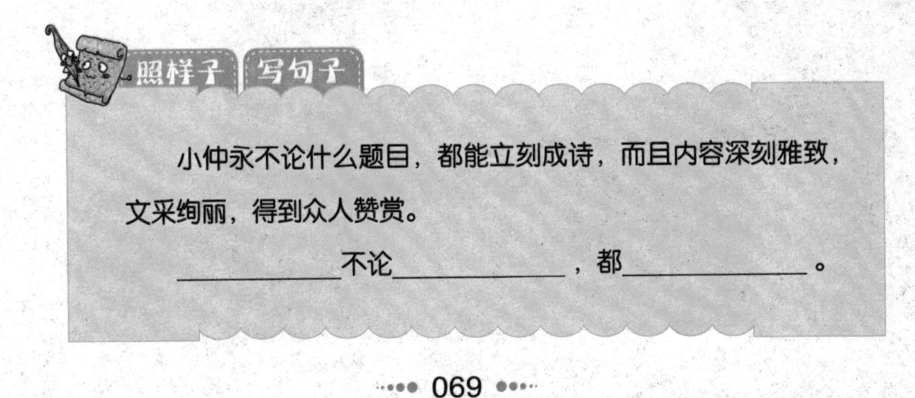

照样子 写句子

小仲永不论什么题目，都能立刻成诗，而且内容深刻雅致，文采绚丽，得到众人赞赏。

__________不论__________，都__________。

tiě bàng mó zhēn
铁棒磨针

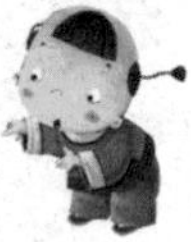

chuán shuō lǐ bái xiǎo de shí hou xué xí bú yòng gōng quē fá yì lì yǒu
传说李白小的时候学习不用功，缺乏毅力。有
yì tiān tā dú shū dú dào yí bàn jiù bú nài fán le zhè me hòu yì
一天，他读书读到一半，就不耐烦了：“这么厚一
běn shū shén me shí hou cái néng dú wán a guò le yí huìr tā gān
本书，什么时候才能读完啊！”过了一会儿，他干
cuì bǎ shū yì rēng liū chu mén wánr qù le lǐ bái lián bèng dài tiào de pǎo
脆把书一扔，溜出门玩儿去了。李白**连蹦带跳**地跑
zhe tū rán tīng dào cā cā cā de shēng yīn zhè shì shuí zài
着，突然听到“嚓，嚓，嚓”的声音。“这是谁在
mó dōng xi ne
磨东西呢？”
tā xún zhe shēng yīn zǒu
他循着声音走
qu kàn jiàn yí wèi
去，看见一位
lǎo nǎi nai zuò zài xiǎo bǎn dèng
老奶奶坐在小板凳

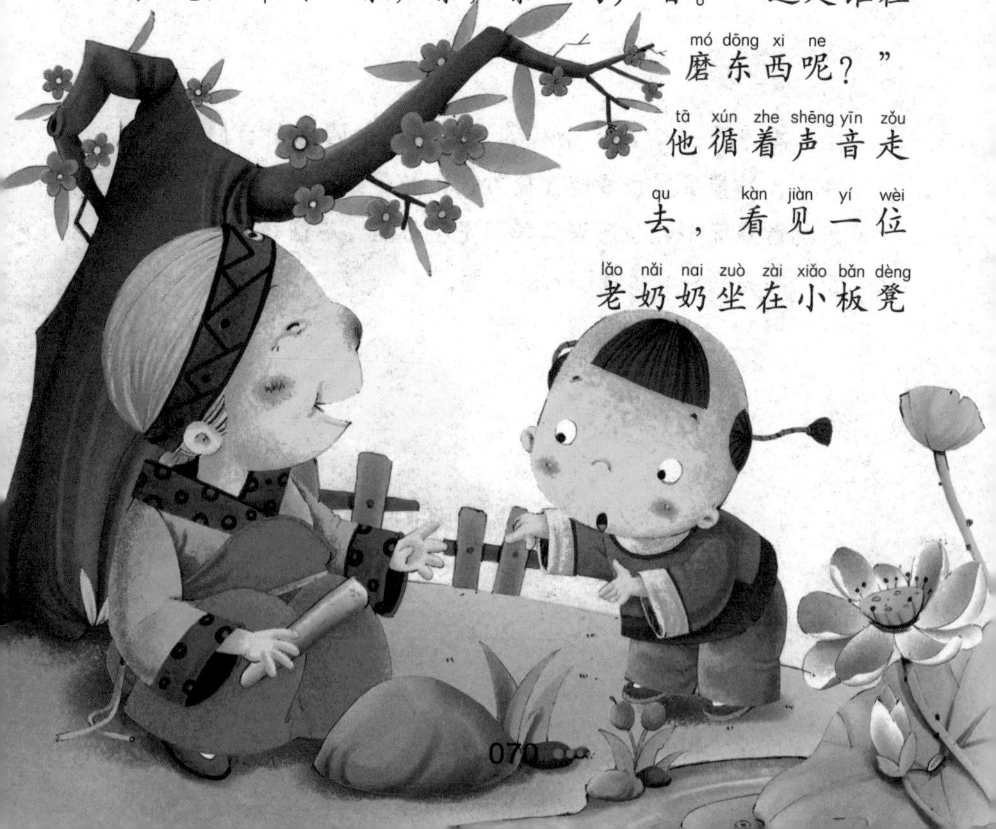

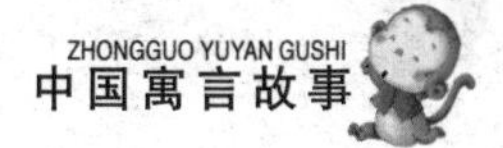

上，对准磨刀石，正用力地磨着一根铁棒。李白的好奇心被勾起来了。他蹲下来，两只手支着下巴，傻看了好一阵。老奶奶也不理会他，只是全神贯注地磨着。李白忍不住了，问道：“奶奶，您这是干什么呢？”“磨针。”老奶奶头也不抬地答道。“磨针？”李白更加奇怪了，“这么粗的一根铁棒能磨成针？”老奶奶这才抬起头来，说：“孩子，铁棒再粗，禁不住我天天磨呀！只要我不间断地磨下去，再粗的铁棒也能磨成针的。”李白听了，心想：“对呀，只要有恒心，再难的事情也能做成功。”他转身就往家跑，拾起扔在地上的书本，**专心致志**地读起来。经过长期刻苦学习，他打下了扎扎实实的基础。后来，李白成了中国历史上一位伟大的诗人。

阅读心得

天才出于勤奋，李白取得的伟大成就跟他的刻苦学习是分不开的。人的天资不完全一样，有的聪明一些，有的迟钝一些，但学业上能否取得成功，关键在于能否刻苦学习和努力实践，“只要功夫深，铁杵磨成针”。

杀龙的绝技

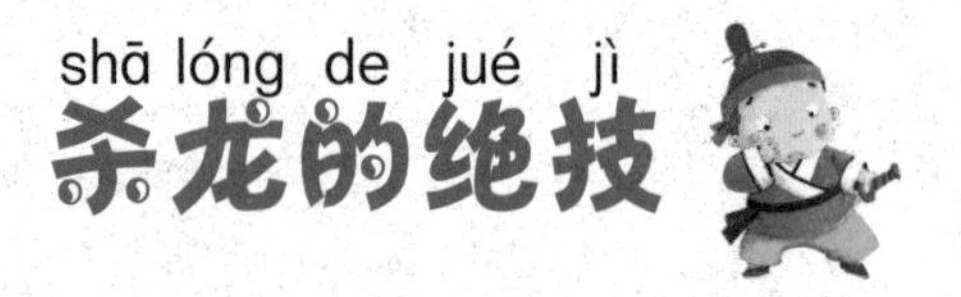

从前有个人叫朱泙漫，无论什么都想学一招。他听说支离益会杀龙，就立刻变卖了全部家产，不远千里去拜支离益为师。

过了三年，朱泙漫学成回乡了。乡亲们问他学到了什么手艺，他就连讲带比画，表演给大家看怎样按

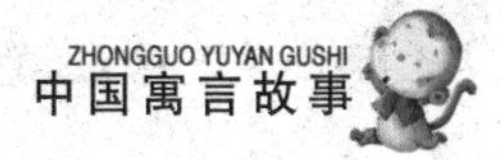

住龙头，怎样骑上龙身，怎样把刀插入龙颈……正当他说得**兴高采烈**的时候，一位老人问他："小伙子，你上哪儿去杀龙呢？""哎呀！"朱泙漫像被迎头浇了一盆凉水。他这才**醒悟**过来：世界上已经没有龙了，自己学的这一身绝技毫无用处啊。

阅读心得

学习的目的是为了应用，屠龙的绝技再厉害，如果没龙可杀，也是没有任何意义的。所以，我们学习时一定要有明确的目的，要适应社会的需要，那些脱离实际的"学问"，学得再好也是毫无用处的。

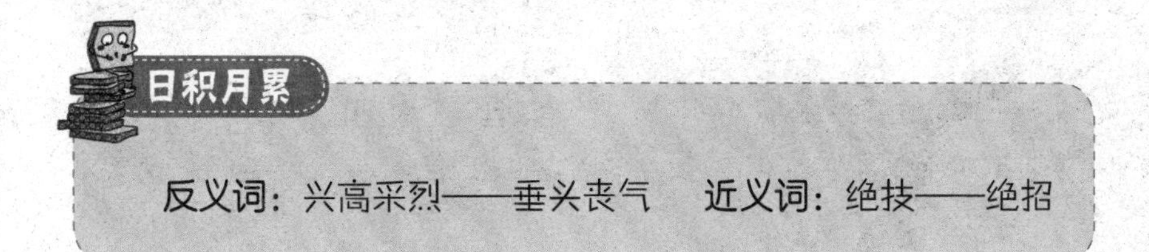

日积月累

反义词：兴高采烈——垂头丧气　近义词：绝技——绝招

tài yáng de xíng zhuàng

太阳的形状

cóng qián yǒu ge rén　shēng xia lai jiù shuāng mù shī míng　tā měi tiān gǎn shòu
从前有个人，生下来就双目失明。他每天感受
dào yáng guāng de wēn nuǎn　què bù zhī dào tài yáng de mú yàng　tā biàn xiàng míng yǎn
到阳光的温暖，却不知道太阳的模样。他便向明眼
rén qǐng jiào　rén jia ná lai yì zhī tóng pán　qiāo zhe ràng tā tīng ting　gào su
人请教。人家拿来一只铜盘，敲着让他听听，告诉
tā　tài yáng de xíng zhuàng shì yuán de　jiù xiàng zhè zhī tóng pán　máng rén
他：“太阳的形状是圆的，就像这只铜盘。”盲人
tīng dào　dāng dāng　de xiǎng shēng　biàn lián lián diǎn tóu　ō　wǒ zhī dào
听到“当当”的响声，便连连点头：“噢，我知道
le　wǒ zhī dào le
了，我知道了。”

guò le jǐ tiān　máng rén zài jiē shang tīng dào　dāng dāng　de zhōng shēng
过了几天，盲人在街上听到“当当”的钟声，
jiù gāo xìng de hǎn dào　zhè jiù shì
就高兴地喊道：“这就是
tài yáng　tài yáng chū lai le　yǒu
太阳！太阳出来了！”有
rén duì tā shuō　cuò le　nà
人对他说：“错了，那
bú shì tài yáng　tài yáng huì fā guāng
不是太阳。太阳会发光，

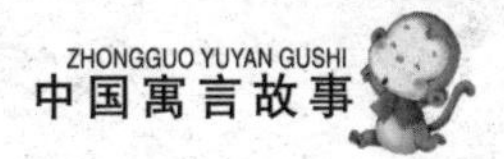

就像蜡烛一样。”边说边递给他一支蜡烛。盲人仔细地把蜡烛摸了一遍，连连点头说：“噢，这回我知道了，原来太阳是这样的。”

又过了几天，盲人随手摸到了一根短笛。他又高兴地喊了起来：“这该是太阳了吧！这该是太阳了吧！”

阅读心得

寓言中的盲人把从别人那儿得来的片面的间接经验误认为是全面的认识，并且十分主观地作出判断，最终闹出了笑话。我们向别人学习时也要注意，一定要结合自己的亲身实践加以检验和完善。

照样子 写句子

他每天感受到阳光的温暖，却不知道太阳的模样。

__________________，却不知道____________。

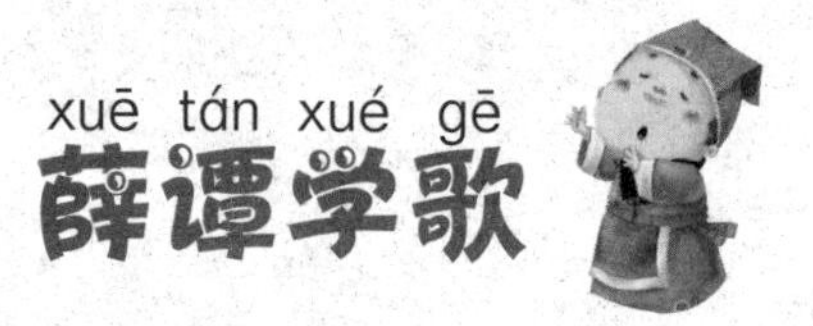

薛谭学歌

薛谭拜秦国著名的歌手秦青为师，学习唱歌。经过秦青的指点，薛谭的演唱技巧有了很大进步，几次演出都博得阵阵喝彩声。于是，他自认为已经把老师的本领都学到手了，就向秦青要求提前毕业。秦青也没有挽留，把他送到郊外。临别的时候，秦青两手轻轻地打着拍子，放声高歌。那歌声激越高亢，时而像奔腾的大河，时而像轻

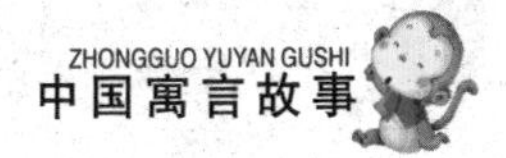

飘的行云，只唱得群鸟息喙，百兽伫听，连天上的朵朵白云也舍不得匆匆离去。

薛谭简直听傻了，他这才意识到自己连老师演唱技巧的皮毛都还没有学到手，就连忙跪倒在路旁请求老师原谅，希望老师同意他继续学习。秦青被他的真诚感动，就继续收他为弟子。从此以后，薛谭虚心好学，刻苦钻研，终于成为有名的歌唱家。

学习是没有止境的，薛谭盲目自满，差点儿成为笑柄，幸好他及时认识到了自己的无知。学习就是这样，只有真正地深入进去，才能看到自己的幼稚和不足，进而才能努力奋发，取得成功。

拟人句

连天上的朵朵白云也舍不得匆匆离去。

zhuō chán de xué wen
捉蝉的学问

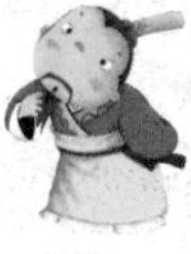

dà rè tiān kǒng zǐ dài zhe xué sheng men lái dào chǔ guó tā men zǒu jin
大热天，孔子带着学生们来到楚国。他们走进
yí piàn mì lín zhōng xiē liáng lín zhōng chán shēng yí piàn yǒu yí wèi tuó bèi lǎo rén
一片密林中歇凉，林中蝉声一片。有一位驼背老人
shǒu ná yì gēn dǐng duān tú yǒu shù zhī de zhú gān zài zhuō chán zhǐ jiàn tā yì zhān
手拿一根顶端涂有树脂的竹竿在捉蝉。只见他一粘
yì zhī bǎi fā bǎi zhòng dà jiā zài yì páng kàn de rù le mí kǒng zǐ wèn
一只，百发百中。大家在一旁看得入了迷。孔子问
lǎo rén nín zhuō chán de běn lǐng kě zhēn dà zhè lǐ bian yǒu shén me ào mì
老人：“您捉蝉的本领可真大！这里边有什么奥秘
ma lǎo rén xiào xiao shuō rú guǒ yí dìng yào shuō ào mì dāng rán yě shì
吗？”老人笑笑说：“如果一定要说奥秘，当然也是

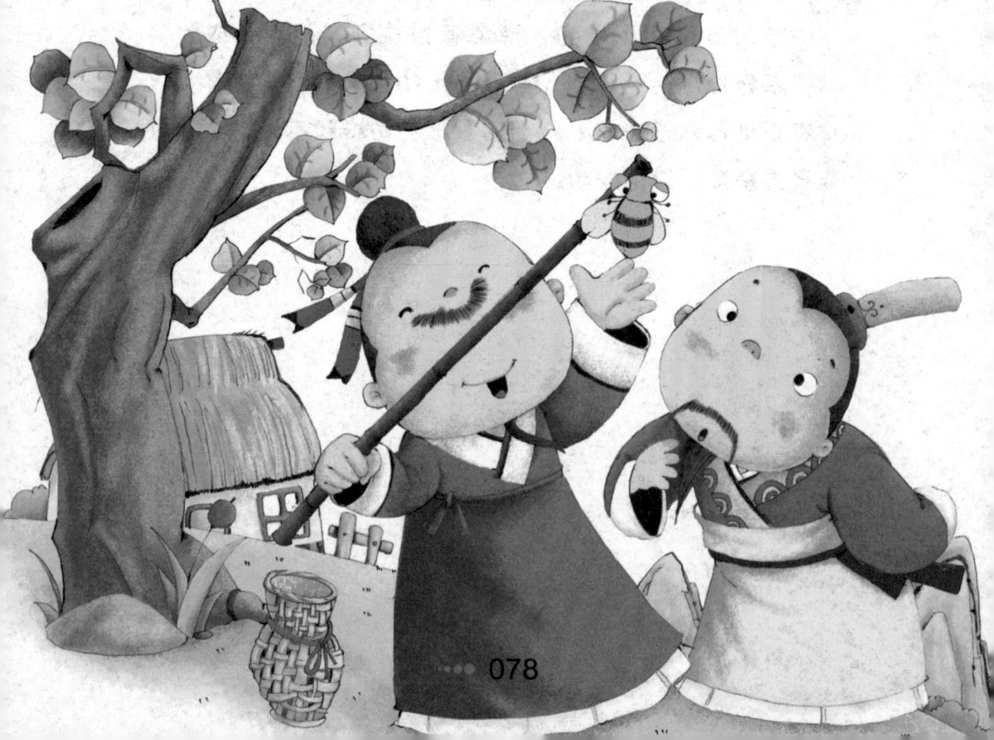

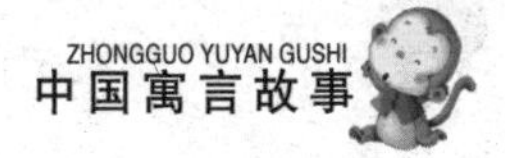

有的。蝉是很机灵的，一有动静，它就飞了。因此，先要练得手拿竹竿纹丝不动。练到竹竿顶端能放两粒弹丸而不掉下来，捉蝉就有一定的把握了；练到放三粒弹丸而不掉下来，捉十只蝉顶多逃脱一只；练到放五粒弹丸而不掉下来，捉蝉就像伸手捡东西一样容易了。手不抖，身躯也不能动。我站着的时候，像纹丝不动的树干；手拿竹竿的胳膊，像树上伸出去的老枝，不颤不摇。捉蝉的时候，我专心致志，天地万物都不能扰乱我的注意力，我的眼睛里看到的只是蝉的翅膀。能够练到这样的地步，您还怕捉不到蝉吗？”

孔子听了，教育学生说：“听明白了没有？只有锲而不舍、专心致志，才能把本领练到出神入化的地步啊！”

阅读心得

锲而不舍、专心致志是捉蝉老人百发百中的秘诀。这则寓言对我们今天的学习和工作也都很适用。专心致志，勤学苦练，讲究方法，坚持不懈，这是取得成功最重要的条件。

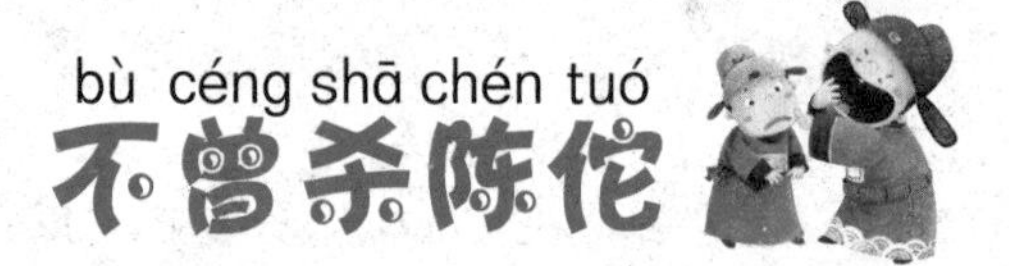

bù céng shā chén tuó
不曾杀陈佗

yǒu yí ge rén xiǎng bài jiàn xiàn guān qiú ge chāi shi wèi le tóu qí suǒ hào tā shì xiān zhǎo dào xiàn guān shǒu xià de rén dǎ ting xiàn guān de ài hào tā xiàng xiàn guān de suí cóng wèn dào bù zhī xiàn lìng dà ren píng shí dōu yǒu shén me ài hào

有一个人想拜见县官求个差事。为了投其所好，他事先找到县官手下的人，打听县官的爱好。他向县官的随从问道：“不知县令大人平时都有什么爱好？”

xiàn guān shǒu xià de rén gào su tā shuō xiàn lìng wú shì de shí hou xǐ huan dú shū wǒ jīng cháng kàn dào tā shǒu pěng gōng yáng zhuàn dú de jīn jīn yǒu

县官手下的人告诉他说：“县令无事的时候喜欢读书。我经常看到他手捧《公羊传》读得津津有

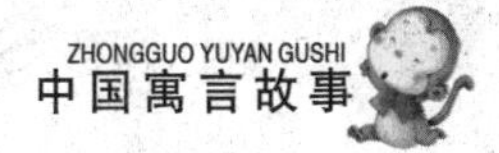

味，对它**爱不释手**。”这个人把县令的爱好记在心里，满怀信心地去见县官。

县官问他：“你平时都读些什么书？”

他连忙讨好地回答说：“别的书我都不爱看，一心专攻《公羊传》。”

县官接着问他：“那么我问你，是谁杀了陈佗呢？”

这个人其实根本就没读过《公羊传》，不知陈佗是书中人物。他想了半天，以为县官问的是本县发生的一起人命案，于是吞吞吐吐地回答说：“我平生确实不曾杀过人，更不知有个叫陈佗的人被杀。”

县官一听，知道这家伙并没读过《公羊传》，才回答得如此荒唐可笑。县官便故意戏弄他说：“既然陈佗不是你杀的，那么你说说陈佗到底是谁杀的。”

这人见县官还在往下追问，更加**惶恐不安**起来，于是吓得**狼狈不堪**地跑出去了，连鞋子也来不及穿。别人见他这副模样，问他怎么回事，他边跑边大声说：“我刚才见到县官，他向我追问一桩杀人案，我再也不敢来了。等这桩案子搞清楚后，我再来吧！”

投其所好也要有真本事才行，脑子里没货终究是要露馅儿的。这则寓言告诉我们，一个人应该用诚实、谦虚的态度去对待知识。不懂装懂的做法既会妨碍自己的求知进步，又会闹出愚昧无知的笑话来。

àn tú suǒ jì
按图索骥

bó lè shì gǔ dài zhù míng de xiàng mǎ zhuān jiā tā zài jiàn bié mǎ pǐ fāng miàn
伯乐是古代著名的相马专家，他在鉴别马匹方面

jī lěi le fēng fù de jīng yàn xiě chéng le yì běn xiàng mǎ jīng bó lè
积累了丰富的经验，写成了一本《相马经》。伯乐

de ér zi hěn xiǎng xué dào xiàng mǎ de běn lǐng tā cóng zǎo dào wǎn pěng zhe xiàng mǎ
的儿子很想学到相马的本领，他从早到晚捧着《相马

jīng niàn bǎ tā bèi de gǔn guā làn shú yǒu yì tiān ér zi
经》念，把它背得**滚瓜烂熟**。有一天，儿子

yáng yáng zì dé de shuō fù qin nín de xiàng mǎ běn lǐng wǒ
扬扬自得地说：“父亲，您的相马本领，我

dōu xué huì le bó lè tīng le wēi wēi yí xiào shuō
都学会了。”伯乐听了微微一笑，说：

nà hǎo ba nǐ qù zhǎo yì pǐ qiān lǐ mǎ lai ràng wǒ
“那好吧，你去找一匹千里马来，让我

jiàn dìng jiàn dìng ér zi mǎn kǒu dā ying dài
鉴定鉴定。”儿子满口答应，带

zhe xiàng mǎ jīng chū mén le yí miàn
着《相马经》出门了，一面

走一面还在背诵："千里马额头隆起，双眼突出，四蹄犹如垒起的酒药饼子。"他边走边找，看见大大小小的动物，都要跟《相马经》上的标准对照。但是，有的只符合一条，有的一条也不符合。最后，他在池塘边看见一只癞蛤蟆鼓着双眼，"呱，呱，呱……"叫个不停。他对照《相马经》端详了好半天，然后把癞蛤蟆包起来，兴冲冲地跑回家对父亲说："千里马可真不好找，您定的条件太高了。我好不容易在池塘边找到一匹，额头和双眼与您书上说的差不离儿，就是蹄子不像酒药饼子。您给鉴定鉴定。"

伯乐打开纸包一看，不由得苦笑起来："儿啊，你找到的这匹千里马，不会跑，光会跳，恐怕你驾驭不了啊！"

伯乐的儿子死背书本，生搬硬套，最终闹出了笑话。在学习和工作中，我们也要特别注意这一点。前人传下来的书本知识，应该努力学习、虚心继承。但是，一定要注重实践，在实践中切实验证；牢固掌握这些知识，并加以发展，这才是正确的态度。

cháng yáng xué shè

常羊学射

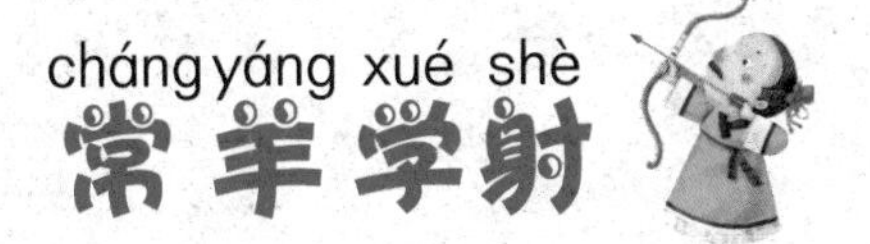

cháng yáng bài tú lóng zǐ zhū wéi shī xué xí shè jiàn tú lóng zǐ zhū wèn
常羊拜屠龙子朱为师学习射箭。屠龙子朱问：

nǐ xiǎng zhī dào shè jiàn de dào lǐ ma cháng yáng shuō qǐng nín zhǐ
“你想知道射箭的道理吗？”常羊说：“请您指

jiào tú lóng zǐ zhū méi yǒu zhèng miàn huí dá què gěi cháng yáng jiǎng le yí
教。”屠龙子朱没有正面回答，却给常羊讲了一

ge gù shi yǒu yí cì chǔ wáng dào yún mèng zé dǎ liè tā ràng shǒu xià
个故事：“有一次，楚王到云梦泽打猎。他让手下

rén bǎ huàn yǎng de qín shòu quán bù qū gǎn chu lai gōng zì jǐ shè liè yì
人把豢养的禽兽全部驱赶出来，供自己射猎。一

shí jiān tiān kōng qín niǎo qí fēi mǎn dì yě shòu bēn
时间，天空禽鸟齐飞，满地野兽奔

zhú jǐ zhī méi huā lù zài chǔ wáng
逐。几只梅花鹿在楚王

de mǎ zuǒ bian bèng
的马左边蹦

tiào yì qún mí
跳，一群麋

鹿在楚王的马右边追逐。楚王举弓搭箭，一会儿对准梅花鹿，一会儿对准麋鹿，正想放箭，一只天鹅又扇动两只大翅膀从楚王的头上掠过，馋得他又把弓箭指向空中。就这样，楚王瞄了半天，一箭没放，不知道该射哪个好了。这时候，有个叫养叔的对楚王说：'我射箭的时候，把一片树叶放在百步之外，射十次中十次。如果放上十片叶子，那么能不能射中，就很难说了。'”常羊听了，连连点头，从中受到了很大的**启发**。

屠龙子朱射箭的秘诀就是专心致志、目标专一。这则故事告诉我们，做任何事情都必须专心致志，确定一个主要目标。三心二意，左顾右盼，是学习和工作的大敌。

qí fù shàn yóu
其父善游

yǒu ge děng zhe guò jiāng de rén kàn jiàn yí ge dà ren tuō zhe yí ge gāng
有个等着过江的人，看见一个大人托着一个刚
huì zǒu lù de xiǎo háir yào bǎ tā rēng jìn jiāng li qu nà ge xiǎo háir
会走路的小孩儿，要把他扔进江里去。那个小孩儿
xià de wā wā dà kū liǎng zhī xiǎo shǒu sǐ sǐ zhuā zhù dà ren de yī xiù bú
吓得哇哇大哭，两只小手死死抓住大人的衣袖不
fàng guò jiāng rén wèn zhè me xiǎo de hái zi nǐ bǎ tā rēng dào jiāng li
放。过江人问：“这么小的孩子，你把他扔到江里
qù bú jiù yān sǐ le ma nà ge rén hěn yǒu bǎ wò de shuō bú
去，不就淹死了吗？”那个人很有把握地说：“不
huì hái zi zhè me xiǎo jiāng shuǐ nà me shēn zěn me bú huì yān sǐ
会！”“孩子这么小，江水那么深，怎么不会淹死

ne zhè nǐ jiù bù zhī dào nèi qíng le yīn wèi tā bà ba jiù shì ge
呢？”“这你就不知道内情了，因为他爸爸就是个
yóu yǒng de néng shǒu
游泳的能手。”

爸爸是游泳的能手，并不代表他的孩子就一定会游泳，这里没有什么必然的遗传关系。由此我们可以想到，人的思想、才能、技艺都不能靠遗传，而必须靠刻苦学习和实践去获得。

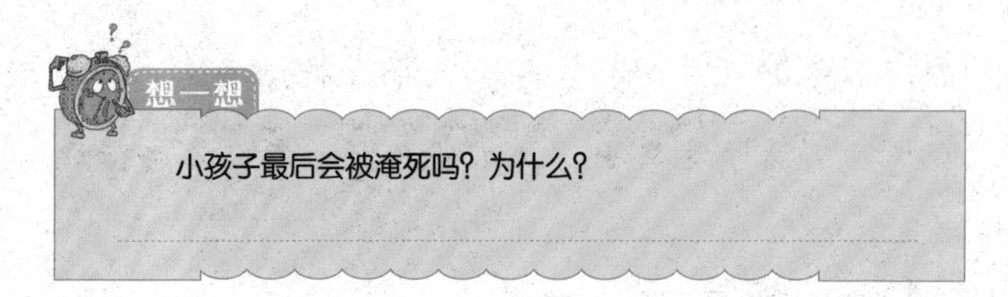

小孩子最后会被淹死吗？为什么？

处事篇

处事是一门大学问，正确而有效率地处理事务，需要具备多种因素：遵循事物的发展规律，深入了解对象，拥有适合的方法、工具，具备良好的性格、品质……

bá miáo zhù zhǎng
拔苗助长

cóng qián sòng guó yǒu ge jí xìng zi de nóng mín zǒng xián tián li de yāng
从前，宋国有个急性子的农民，总嫌田里的秧
miáo zhǎng de tài màn tā chéng tiān wéi zhe zì jǐ de nà kuài tián zhuàn you gé yí
苗长得太慢。他成天围着自己的那块田**转悠**，隔一
huìr jiù dūn xia qu yòng shǒu liáng liang yāng miáo zhǎng gāo le méi yǒu dàn yāng
会儿就蹲下去，用手量量秧苗长高了没有，但秧
miáo hǎo xiàng zǒng shì nà me gāo yòng shén me bàn fǎ kě yǐ ràng miáo zhǎng de kuài yì
苗好像总是那么高。用什么办法可以让苗长得快一
xiē ne tā zhuàn a xiǎng a zhōng yú xiǎng chu le yí ge bàn fǎ wǒ bǎ
些呢？他转啊想啊，终于想出了一个办法：“我把
miáo wǎng gāo bá ba yāng miáo bú jiù kě yǐ yí xià zi zhǎng gāo
苗往高拔拔，秧苗不就可以一下子长高
yí dà jié le ma shuō gàn
一大截了吗？”说干
jiù gàn tā jiù dòng shǒu bǎ yāng
就干，他就动手把秧
miáo yì kē yì kē bá
苗一棵一棵拔
gāo tā cóng zhōng
高。他从中
wǔ yì zhí gàn dào tài
午一直干到太

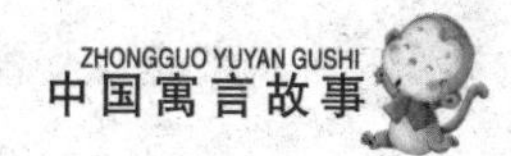

yáng luò shān cái tuō zhe fā má de shuāng tuǐ wǎng jiā zǒu yí jìn jiā mén tā
阳落山，才拖着发麻的双腿往家走。一进家门，他
yì biān chuí yāo yì biān rāng rang āi yō jīn tiān kě bǎ wǒ gěi lèi huài
一边捶腰，一边嚷嚷：“哎哟，今天可把我给累坏
le tā ér zi máng wèn diē nín jīn tiān gàn shén me zhòng huó le
了！”他儿子忙问：“爹，您今天干什么重活了，
lèi chéng zhè yàng nóng mín yáng yáng zì dé de shuō wǒ bāng tián li de měi
累成这样？”农民扬扬自得地说：“我帮田里的每
kē yāng miáo dōu zhǎng gāo le yí dà jié
棵秧苗都长高了一大截！”

tā ér zi jué de hěn qí guài bá tuǐ jiù wǎng tián li pǎo dào tián biān
他儿子觉得很奇怪，拔腿就往田里跑。到田边
yí kàn zāo le zǎo bá de yāng miáo yǐ jīng gān kū hòu bá de yě yèr fā
一看，糟了！早拔的秧苗已经干枯，后拔的也叶儿发
niān dā la xia lai le
蔫，耷拉下来了。

违背秧苗的生长规律，强行把它们拔高，最后只会让它们全部死掉。生活中我们必须知道，自然界和人类社会都有它们发展、变化的客观规律，这些规律是不以人的意志为转移的。人们只能认识它、利用它，而不能违背它、改变它。

bái yàn luò wǎng
白雁落网

tài hú biān shang jù jí zhe yì qún bái yàn měi dāng yè mù jiàng lín tā
太湖边上聚集着一群白雁，每当**夜幕降临**，它

men jiù zhǎo yí kuài ān quán de dì fang jí zhōng guò yè wèi le fáng bèi liè rén de
们就找一块安全的地方集中过夜。为了防备猎人的

xí jī tā men ān pái yì zhī yàn nú zhàn gǎng yí dàn fā xiàn dí qíng yàn
袭击，它们安排一只雁奴站岗。一旦发现敌情，雁

nú jiù míng jiào bào jǐng zhè yàng qí tā bái yàn biàn kě yǐ ān xīn shuì jiào liè rén
奴就鸣叫报警。这样其他白雁便可以安心睡觉。猎人

zhǎng wò le bái yàn zhí bān de guī lǜ jiù dào bái yàn xiē xi de dì fang diǎn liàng huǒ
掌握了白雁值班的规律，就到白雁歇息的地方点亮火

把，担任警戒的雁奴立即“嘎，嘎”地叫起来，发出警报。这时候，猎人迅速把火把浸灭。其他白雁被吵醒了，一看，却什么情况也没有。就这样，重复了三四次以后，大群白雁被吵得无法安睡，以为是站岗的雁奴欺骗了它们，就把雁奴围起来，狠狠地啄了一顿，然后，它们又进入了梦乡。过了一会儿，猎人点着火把走向大雁，值班的雁奴被啄以后，怕情况不实，再也不敢轻易报警了。猎人便趁白雁熟睡，把它们一网打尽。

故事中的白雁之所以会全部落网，是因为它们在复杂的情况面前，不作认真的调查、细致的分析，就压制了不同的意见。生活中我们也要注意这一点，做任何决定都不能被假象迷惑，而要经过认真的调查和分析。

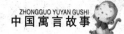

卞庄子刺虎

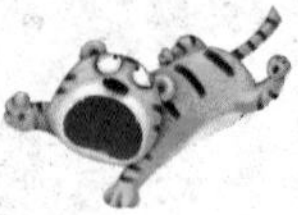

卞庄子看见两只老虎在撕咬一头牛，便想挺身与虎搏斗。他的同伴把他按住，说：“别忙，牛肉味道鲜美，两只老虎分食不均，会争斗起来的。结果必然是力气小的老虎被咬死，力气大的老虎被咬伤。那个时候，你再去刺杀伤虎，岂不是**事半功倍**！”卞庄子听从了同伴的劝告。不一会儿，两

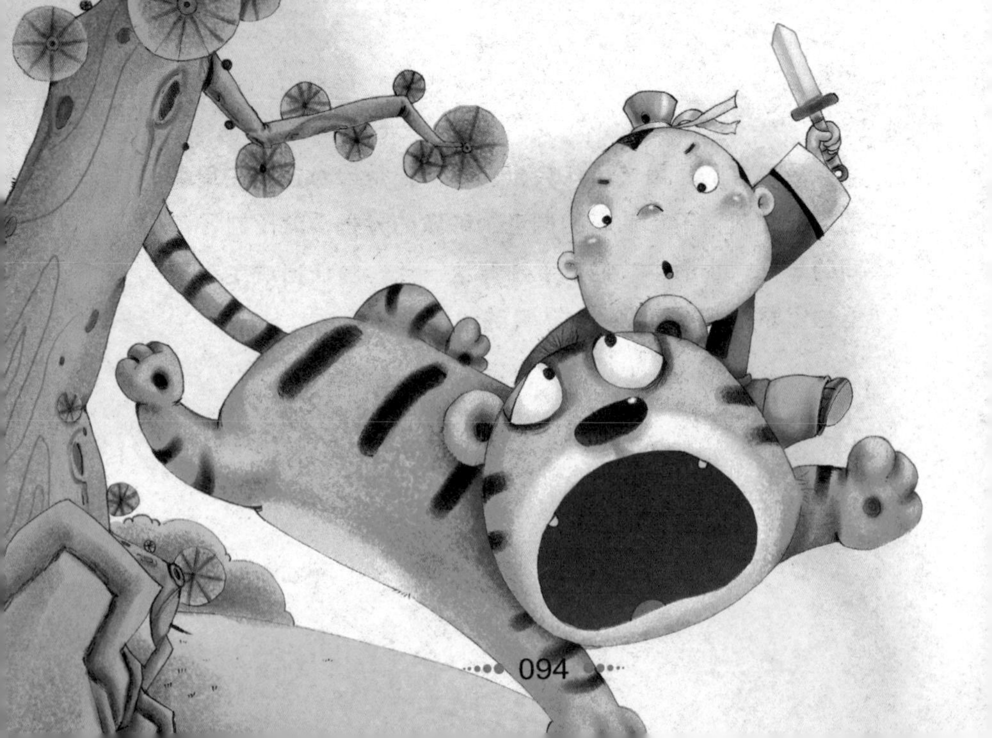

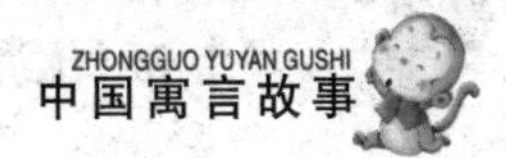

zhī lǎo hǔ guǒ rán wèi zhēng qiǎng yì tiáo niú tuǐ dǎ qǐ jià lai jié guǒ yì zhī
只老虎果然为争抢一条牛腿打起架来。结果，一只

lǎo hǔ bèi yǎo sǐ le lìng yì zhī lǎo hǔ yě bèi yǎo de yì qué yì guǎi de
老虎被咬死了，另一只老虎也被咬得**一瘸一拐**的。

zhè shí hou biàn zhuāng zǐ zòng shēn yí yuè jǔ jiàn jiù xiàng shāng hǔ cì qu méi
这时候，卞庄子纵身一跃，举剑就向伤虎刺去，没

yǒu jǐ ge huí hé jiù bǎ lǎo hǔ cì sǐ le zhè yàng biàn zhuāng zǐ děng yú yì
有几个回合，就把老虎刺死了。这样，卞庄子等于一

jǔ shā sǐ le liǎng zhī lǎo hǔ
举杀死了两只老虎。

阅读心得

卞庄子听从同伴的意见，利用两虎争食必一死一伤的结局，顺利地杀死了两只老虎。所以说我们一定要善于分析矛盾，利用矛盾，把握时机，这样才能收到事半功倍的效果。

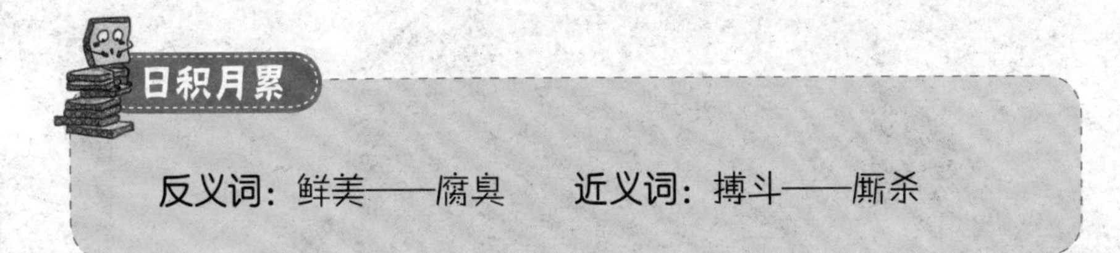

日积月累

反义词：鲜美——腐臭　　近义词：搏斗——厮杀

对牛弹琴

有一天，著名古琴演奏家公明仪对着一头老牛弹琴。他先奏了一首名曲——高雅的古琴曲《清角》。尽管公明仪自己觉得弹得十分**精彩**，但是，老牛就像没有听见一样，只顾埋头吃草。公明仪又用古琴模仿蚊虻嗡嗡的叫声，还模仿离群的小牛犊发出的哀

míngshēng nà tóu lǎo niú lì kè tíng zhǐ chī cǎo tái qi tóu shù qi ěr duo
鸣声。那头老牛立刻停止吃草，抬起头，竖起耳朵，

yáo zhe wěi ba lái huí tà zhe xiǎo bù zhù yì de tīng zhe
摇着尾巴，来回踏着小步，注意地听着。

阅读心得

高雅的琴曲演奏得再出色，老牛也无动于衷；模仿蚊虻叫声所弹出的尽管不是高雅的曲调，但老牛却听得很认真。这则寓言告诉我们，看清对象，有的放矢，从实际需要出发，是做好一件事情的前提。

照样子 写句子

尽管公明仪自己觉得弹得十分精彩，但是，老牛就像没有听见一样，只顾埋头吃草。

尽管________________，但是________________。

ér zi hé lín jū
儿子和邻居

cóng qián sòng guó yǒu ge fù wēng yǒu yì tiān yì cháng dà bào yǔ bǎ
从前，宋国有个富翁。有一天，一场大暴雨把
tā jiā de tǔ wéi qiáng chōng tān le yí duàn yǔ tíng yǐ hòu tā ér zi shuō
他家的土围墙冲坍了一段。雨停以后，他儿子说：
diē kuài gù ge ní wǎ jiàng lái xiū qiáng ba yào bù huì yǒu huài rén jìn lai
“爹，快雇个泥瓦匠来修墙吧，要不，会有坏人进来
tōu dōng xi de zhù zài gé bì de yí wèi lǎo rén yě quàn gào fù wēng děi
偷东西的！”住在隔壁的一位老人也劝告富翁：“得
bǎ chōng tān de qiáng gǎn kuài lěi qi lai dào zéi duō wéi qiáng
把冲坍的墙赶快垒起来。盗贼多，围墙
quē ge kǒu zi huì diū dōng xi de méi xiǎng dào dàng tiān
缺个口子会丢东西的！”没想到，当天

夜里小偷就从缺口进到屋里，偷走了好多值钱的东西。事后，富翁全家对儿子大加称赞，说他想得周到，而对提出同样忠告的邻居却十分怀疑，认为东西可能就是那个老人偷的。

同一个建议，从儿子嘴里说出来就是忠告，从邻人嘴里说出来就成了猜疑的依据，这完全是凭着关系亲疏作出的主观判断。我们办任何事情绝不能凭主观臆测和个人感情，一定要注意调查研究，尊重客观事实。

想一想

为什么富翁称赞儿子而怀疑邻居呢?

gāo yáng yìng zào wū
高阳应造屋

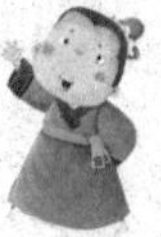

cóng qián yǒu ge rén jiào gāo yáng yìng tā zǒng rèn wéi zì jǐ de yì jiàn duì
从前有个人叫高阳应，他总认为自己的意见对。

yǒu yí cì gāo yáng yìng yào gài xīn fáng zi tā cuī mù jiang mǎ shàng kāi gōng
有一次，高阳应要盖新房子，他催木匠马上开工。

mù jiang shuō bù xíng a xiàn zài mù liào hái méi yǒu gān rú guǒ bǎ shī ní
木匠说：“不行啊！现在木料还没有干，如果把湿泥

mǒ shang qu huì bǎ mù liào yā wān
抹上去，会把木料压弯

de yòng xīn kǎn xia lai de shī mù
的。用新砍下来的湿木

liào gài de fáng zi gāng gài chéng de
料盖的房子，刚盖成的

shí hou tǐng xiàng yàng guò bu liǎo
时候挺像样，过不了

duō jiǔ jiù huì dǎo tā de gāo
多久就会倒塌的。”高

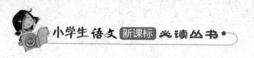

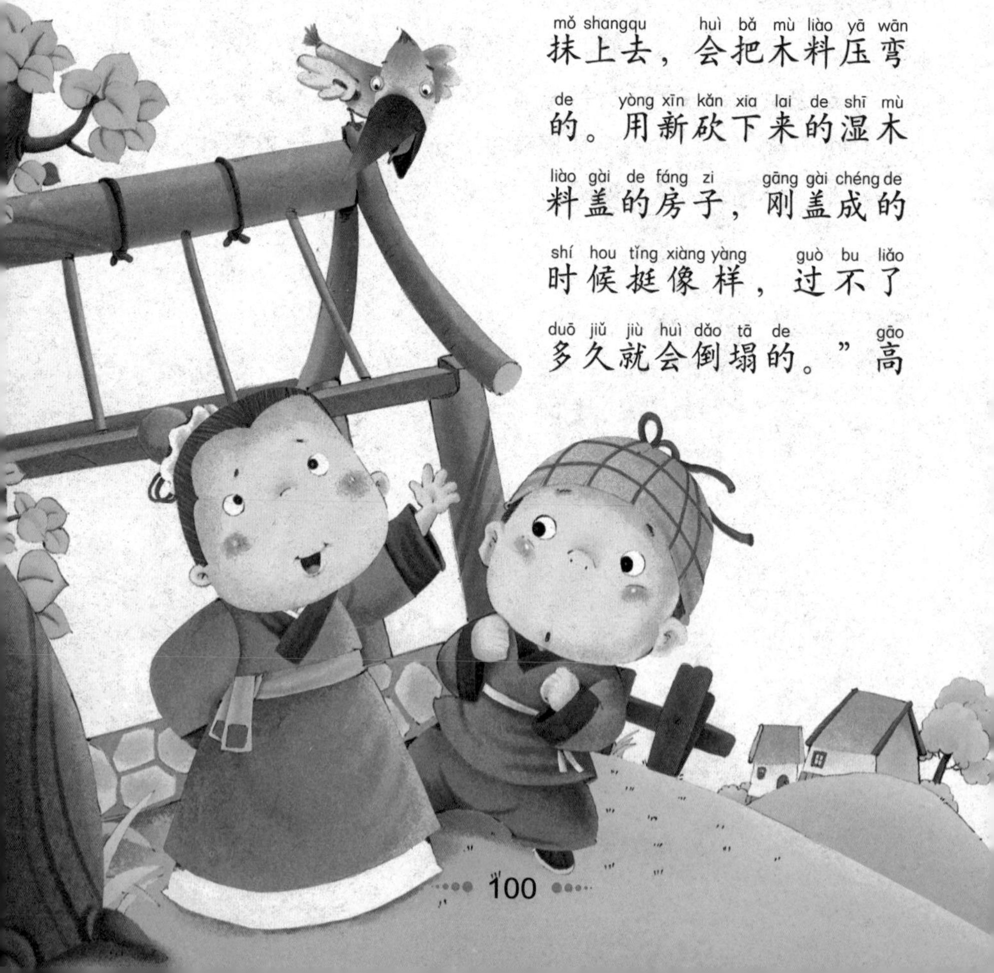

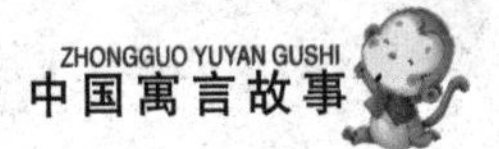

阳应马上接过话茬儿：“按照你的说法，这房子管保坏不了！因为日子一久，木料越干就越硬，而湿泥越干就越轻。用越来越硬的木料去承受越来越轻的泥土，这房子还能坏吗？”高阳应的**诡辩**把木匠噎得无话可说。木匠一赌气就开工了。房子盖成以后，外表上挺气派，但没过多久，因为梁木变形，就坍塌了。

故事中的高阳应尽管善于诡辩，能把别人噎得无话可说，但是，新屋还是按照事物发展的客观规律倒塌了。这告诉我们做任何事情都不能不顾客观规律，光凭主观意志去做事情是注定要失败的。

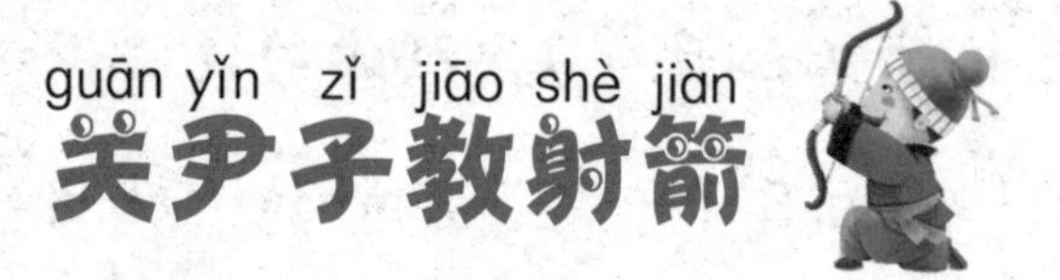

关尹子教射箭

关尹子是著名的箭术教师。列子跟他学射箭。有一次，列子接连几箭都射中了靶心。他高兴地跑去问关尹子："老师，我可以算学会射箭了吧？"关尹子反问他："你自己知道能射中靶心的道理了吗？"列子说："那我可不知道。"关尹子说："那不行，你还不能算是学会射箭了，回去再学！"列子回去以后，认真琢磨射箭的道理，又苦练了三年，

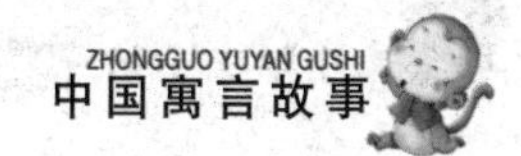

jiàn shù jìn bù de fēi cháng kuài dào le bǎi fā bǎi zhòng de dì bù tā yòu qù
箭术进步得非常快，到了**百发百中**的地步。他又去
xiàng guān yǐn zǐ bào gào zì jǐ de xué xí chéng jì guān yǐn zǐ hái shi wèn tā
向关尹子报告自己的学习成绩，关尹子还是问他：
xiàn zài nǐ zhī dào néng gòu shè zhòng bǎ xīn de dào lǐ le ma liè zǐ shuō
“现在你知道能够射中靶心的道理了吗？”列子说：
zhī dào le guān yǐn zǐ gāo xìng de gǔ lì liè zǐ hǎo zhè yàng
“知道了。”关尹子高兴地鼓励列子：“好！这样
nǐ kě yǐ suàn xué huì shè jiàn le wú lùn gàn shén me shì qing dōu yào dǒng de
你可以算学会射箭了。无论干什么事情，都要懂得
tā bāo hán de dào lǐ xué shè jiàn yīng gāi zhè yàng zhì lǐ guó jiā gèng yīng gāi
它包含的道理。学射箭应该这样，治理国家更应该
zhè yàng
这样。”

阅读心得

接连射中靶心并不能说明什么，只有掌握了射箭的规律才算真正学会了射箭。生活中，我们做事情想要有成功的把握，就应该努力去掌握规律，提高自觉性，克服盲目性。

照样子 写句子

无论干什么事情，都要懂得它包含的道理。

无论__________，都___________。

hé tún fā nù
河豚发怒

yǒu yì zhǒng yú jiào hé tún xiǎo nǎo dai dà dù zi xǐ huan zài mù
有一种鱼叫河豚，小脑袋，大肚子，喜欢在木
qiáo de zhù zi zhī jiān yóu lái yóu qù yì tiān fēng hé rì lì hé tún biān
桥的柱子之间游来游去。一天，风和日丽，河豚边
chàng gē biān yóu yǒng bù xiǎo xīn yì tóu zhuàng zài le qiáo zhù zi shang hé tún dùn
唱歌边游泳，不小心一头撞在了桥柱子上。河豚顿
shí nù qì chōng chōng wú lùn rú hé yě bù kěn yóu kai tā yuàn hèn qiáo zhù
时怒气冲冲，无论如何也不肯游开，它怨恨桥柱
zi pèng zhuàng zì jǐ tā de liǎng sāi zhāng kai le shēn shang de qí yě shù qi lai
子碰撞自己。它的两鳃张开了，身上的鳍也竖起来
le dù zi qì de gǔ gǔ de fú zài shuǐ miàn shang dèng zhe xuè hóng de yǎn
了，肚子气得鼓鼓的，浮在水面上，瞪着血红的眼

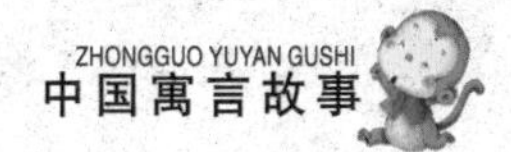

jing yào gēn qiáo zhù zi suàn zhàng zhè shí hou yǒu zhī lǎo yīng fēi lai shēn chu
睛要跟桥柱子算账。这时候，有只老鹰飞来，伸出
lì zhǎo yí bǎ zhuā zhù yuán gǔ gǔ de hé tún sī liè le tā de dù pí
利爪，一把抓住圆鼓鼓的河豚，**撕裂**了它的肚皮，
bǎ tā chī diào le
把它吃掉了。

阅读心得

因为撞到桥柱而赌气，最后被老鹰捉住吃掉，河豚的经历值得我们深思。生活中，我们遇到不痛快的事情时一定要心胸开阔，态度冷静，要认真分析原因，并从中得到教训和启示。

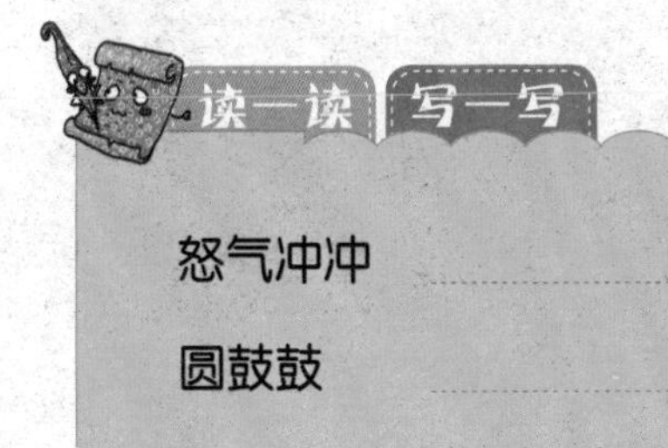

读一读 写一写

怒气冲冲 ________ ________

圆鼓鼓 ________ ________

hòu yì shè jiàn

后羿射箭

hòu yì shì gǔ dài zhù míng de shén jiàn shǒu yǒu yì tiān xià wáng ràng tā biǎo
后羿是古代著名的神箭手。有一天，夏王让他表
yǎn jiàn shù bǎ zi shì yòng yì chǐ jiàn fāng de shòu pí zhì chéng de zhèng zhōng huà
演箭术。靶子是用一尺见方的兽皮制成的，正中画
le zhí jìng wéi yí cùn de hóng xīn hòu yì wēi wēi yí xiào háo bú zài yì
了直径为一寸的红心。后羿微微一笑，**毫不在意**。
lín shè qián xià wáng tū rán xuān bù shè zhòng le shǎng nǐ yí wàn liǎng huáng
临射前，夏王突然宣布：“射中了，赏你一万两黄
jīn shè bu zhòng bō duó nǐ yōng yǒu de fēng dì hòu yì tīng le dùn
金；射不中，剥夺你拥有的封地。”后羿听了，顿
shí jǐn zhāng qi lai liǎn sè yí zhèn hóng yí zhèn bái xiōng pú yì qǐ yì fú
时紧张起来，脸色一阵红一阵白，胸脯一起一伏，
zěn me yě píng jìng bu xià lái jiù zhè yàng tā lā kai le gōng shè chu dì yī
怎么也平静不下来。就这样，他拉开了弓，射出第一
zhī jiàn jiàn shēn cā zhe bǎ zi fēi dào yì biān qù le hòu yì gèng jiā jǐn zhāng
支箭，箭身擦着靶子，飞到一边去了。后羿更加紧张

了，拿弓的手也开始颤抖起来。他勉强射出了第二支箭，羽箭远离靶子落在地上。围观的人连连发出嘘声。夏王问大臣弥仁：“后羿平时射箭是百发百中的，为什么今天连射两箭都脱靶了呢？”弥仁说：“后羿是被**患得患失**的情绪害了，大王定下的赏罚条件成了他的包袱，所以，他的表现很不正常。如果人们能够排除患得患失的情绪，把厚赏重罚置之度外，再加上刻苦训练，那么，普天下的人都可以成为神箭手，一点儿也不会比后羿差的。”

神箭手后羿在重金和封地的得失面前，完全失去了常态。类似的现象我们在生活中也常常遇到。背上患得患失的包袱，即便有高超的技艺也发挥不出来。所以说遇事应当看得远一些，站得高一些，摆脱患得患失思想的束缚。

huà shé tiān zú 画蛇添足

gù shi fā shēng zài gǔ dài chǔ guó yǒu yí hù rén jiā jì sì zǔ zong
故事发生在古代楚国。有一户人家祭祀祖宗。

yí shì wán bì hòu bǎ shèng xia de yì hú jiǔ shǎng gěi shǒu xià de bàn shì rén yuán
仪式完毕后，把剩下的一壶酒赏给手下的办事人员

hē rén duō jiǔ shǎo hěn nán fēn pèi zhè jǐ ge rén jiù shāng liang fēn jiǔ de
喝。人多酒少，很难分配，这几个人就商量分酒的

bàn fǎ yǒu ge rén shuō yì hú jiǔ fēn gěi jǐ ge rén hē tài shǎo le
办法。有个人说：“一壶酒分给几个人喝，太少了。

yào hē jiù hē ge tòng kuai gěi yí ge rén
要喝就喝个痛快，给一个人

hē cái guò yǐn ne dà jiā dōu zhè yàng
喝才过瘾呢！”大家都这样

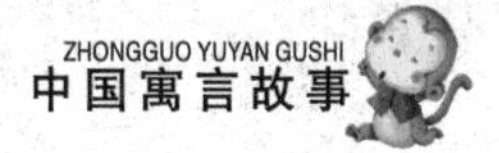

xiǎng kě shì shuí yě bù kěn fàng qì zhè ge jī hui lìng yí ge tí yì shuō
想，可是谁也不肯放弃这个机会。另一个提议说：

zhè yàng ba ràng wǒ men lái ge huà shé bǐ sài měi ge rén zài dì shang huà
“这样吧，让我们来个画蛇比赛。每个人在地上画

yì tiáo shé shuí xiān huà wán shuí jiù hē zhè hú jiǔ dà huǒr dōu zàn chéng
一条蛇，谁先画完，谁就喝这壶酒。”大伙儿都赞成

zhè ge bàn fǎ yú shì měi ge rén zhé le yì gēn shù zhī tóng shí kāi shǐ huà qi
这个办法。于是每个人折了一根树枝，同时开始画起

lai yǒu yí ge rén huà de zuì kuài zhuǎn yǎn zhī jiān jiù bǎ shé huà hǎo le tā
来。有一个人画得最快，转眼之间就把蛇画好了。他

zuǒ shǒu zhuā guo jiǔ hú dé yì de kàn kan tóng bàn xīn xiǎng tā men yào
左手抓过酒壶，**得意**地看看同伴，心想：“他们要

gǎn shang wǒ hái chà de yuǎn li biàn yáng yáng zì dé de shuō wǒ zài gěi
赶上我还差得远哩！”便扬扬自得地说：“我再给

shé tiān shang jǐ zhī jiǎo yě néng bǐ nǐ men xiān huà wán
蛇添上几只脚，也能比你们先画完。”

zhèng dāng tā huà dì sì zhī jiǎo de shí hou lìng yí ge rén bǎ shé huà wán
正当他画第四只脚的时候，另一个人把蛇画完

le nà ge rén yì bǎ duó guo jiǔ hú shuō shé běn lái shì méi yǒu jiǎo de
了。那个人一把夺过酒壶说：“蛇本来是没有脚的，

nǐ huà de gēn běn jiù bú shì shé hái shi wǒ xiān huà wán jiǔ yīng dāng guī wǒ
你画的根本就不是蛇。还是我先画完，酒应当归我

hē tiān shé jiǎo de rén wú huà kě shuō zhǐ hǎo yàn zhe tuò mo kàn bié rén
喝。”添蛇脚的人无话可说，只好咽着唾沫，看别人

hē jiǔ
喝酒。

画蛇，就要像一条蛇；添上脚，就成了“四不像”。做任何事情都要实事求是，不卖弄聪明，不节外生枝。否则，非但不能把事情做好，反而会把事情办糟。

jīn gōu guì ěr
金钩桂饵

lǔ guó yǒu ge rén xǐ huan jiǎng pái chǎng diào yú shì tā de yí dà shì hào
鲁国有个人喜欢讲排场。钓鱼是他的一大嗜好。

tā yòng huáng jīn zuò chéng yú gōu shàng miàn hái xiāng qiàn zhe xuě liàng de yín sī tā
他用黄金做成鱼钩，上面还**镶嵌**着雪亮的银丝；他

yòng fěi cuì niǎo de yǔ máo niǎn chéng xì xiàn xì xiàn shang hái jì zhe bì lǜ de bǎo
用翡翠鸟的羽毛捻成细线，细线上还系着碧绿的宝

shí tā hái yòng pèn xiāng de guì mù zuò yú ěr tā de diào yú gān shì zuì gāo jí
石；他还用喷香的桂木做鱼饵。他的钓鱼竿是最高级

de tā diào yú shí xuǎn zé de wèi zhì hé bǎi chu de zī shì dōu hěn jiǎng jiu dàn
的，他钓鱼时选择的位置和摆出的姿势都很讲究，但

shì diào dào de yú què liáo liáo wú jǐ
是钓到的鱼却**寥寥无几**。

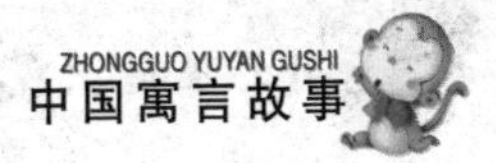

钓鱼讲究的是技艺，而不是装饰和排场。这则寓言告诉我们，做事情要讲求实效，片面追求形式只能取得相反的效果。

故事中的鲁国人为什么很少钓到鱼？

jiǔ fāng gāo xiàng mǎ

九方皋相马

yǒu yì tiān qín mù gōng duì xiàng mǎ zhuān jiā bó lè shuō nín nián suì
有一天，秦穆公对相马专家伯乐说：“您年岁
dà le nín de qīn shǔ zhōng yǒu méi yǒu rén néng jiē tì nín lái shí bié qiān lǐ mǎ
大了。您的亲属中有没有人能接替您来识别千里马
ne bó lè huí dá shí bié yì bān de hǎo mǎ bìng bù nán zhǐ yào cóng tǐ
呢？”伯乐回答：“识别一般的好马并不难，只要从体
xíng wài mào jīn ròu gǔ jià zhè jǐ ge fāng miàn jiù kě yǐ biàn bié chu lai zuì
形、外貌、筋肉、骨架这几个方面就可以辨别出来。最
nán de shì shí bié tiān xià wú shuāng de qiān lǐ mǎ nà yào cóng nèi zài de qì zhì
难的是识别**天下无双**的千里马，那要从内在的气质
shang fēn biàn ér zhè zhǒng qì zhì yì bān rén guān chá bu dào wǒ nà jǐ ge ér zi
上分辨，而这种气质一般人观察不到。我那几个儿子
dōu shì yōng cái tā men zhǐ néng shí bié yì bān de hǎo mǎ wǒ yǒu ge péng you jiào jiǔ
都是庸才，他们只能识别一般的好马。我有个朋友叫九
fāng gāo kào tiāo dàn mài chái wéi shēng tā de xiàng mǎ běn lǐng bú zài wǒ zhī xià
方皋，靠挑担卖柴为生。他的相马本领不在我之下。”

qín mù gōng jiù bǎ jiǔ fāng gāo qǐng lai ràng tā chū qu
秦穆公就把九方皋请来，让他出去
xún fǎng tiān xià wú shuāng de bǎo mǎ guò le sān ge yuè jiǔ
寻访天下无双的宝马。过了三个月，九
fāng gāo huí lai bào gào nín yào de bǎo mǎ yǐ jīng zhǎo
方皋回来报告：“您要的宝马已经找
dào le qín mù gōng
到了。”秦穆公
wèn shì shén me yán
问：“是什么颜
sè de mǎ gōng de hái
色的马？公的还

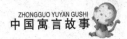

是母的？”九方皋想了一下回答说：“我印象中是一匹黄色的母马。”秦穆公派人把马牵来。去的人回报说：“是一匹黑色的公马。”秦穆公很不高兴。他把伯乐找来，埋怨说：“你真是糟糕透了！那个九方皋连马匹的颜色是黄是黑，马匹的性别是公是母都分不清，怎么能称为相马专家呢？”伯乐听了却连连赞叹：“了不起啊！您说的这些情况正可以证明九方皋的相马技术比我还高明。他观察马，已经能够排除外部特征的干扰，集中精力去深入观察马的气质和神韵了。他取其精而忘其粗，重其内而忘其外；他注意的只是他需要观察的东西，他忽略的正是他不需要观察的东西。这样的相马技术实在是难得啊！”马牵来后，经过试骑，果然是一匹天下无双的千里宝马。

阅读心得

毛色、性别并不是千里马跟普通马的本质区别，光凭这些找不到千里马。这则寓言故事告诉我们，看事情不能光注意表面的东西，只有深入把握事物的本质特点，才能作出准确的判断。

kè zhōu qiú jiàn
刻舟求剑

yǒu ge chǔ guó rén chéng chuán guò jiāng chuán dào jiāng xīn tū rán yí ge
有个楚国人乘船过江。船到江心，突然一个
làng tou xí lai chuán shēn měng liè de diān bǒ le yí xià zhè rén de shēn tǐ yì
浪头袭来，船身猛烈地颠簸了一下，这人的身体一
wāi suí shēn pèi dài de bǎo jiàn diào dào jiāng li qù le bù shǎo rén zài wèi tā wǎn
歪，随身佩带的宝剑掉到江里去了。不少人在为他惋
xī tā zì jǐ què bù huāng bù máng de zài chuán bāng shang huà le yí dào jì hao
惜，他自己却不慌不忙地在船帮上画了一道记号，

说："这儿就是宝剑掉下去的地方。"船靠岸了。楚国人立即从刻有记号的地方跳进水去，乱摸起来。摸了半天，什么也没摸着。人们见他这样愚蠢又这样自负，纷纷议论："船在走，而掉在江心的剑是不会走的。""根据船帮上的记号去找剑，这不是太愚蠢了吗？"

刻在船上的记号不会动，可船的整体是在江里运动的，这样一来，怎么可能凭借记号找到丢失的剑呢？在我们的生活中也有这种用静止不动的观点去看待世间万事万物的人，他们认识不到事物是在运动的，世界是在发展的，因而闹出了笑话。

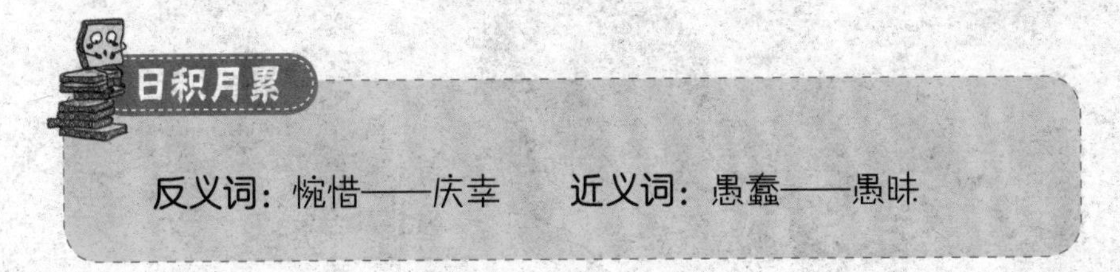

日积月累
反义词：惋惜——庆幸　近义词：愚蠢——愚昧

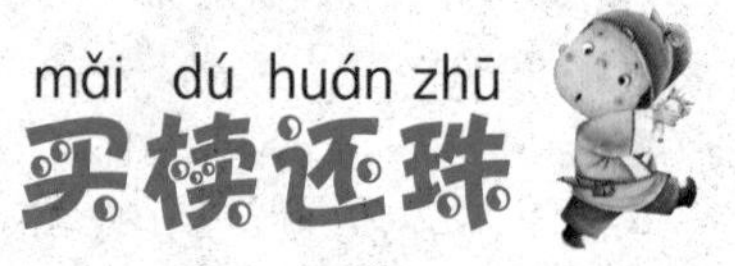

买椟还珠

楚国有个珠宝商，到郑国去卖宝珠。为了招揽生意，他精心制作了一只盛放宝珠的盒子。这只盒子选用名贵的木兰做材料，再用香喷喷的香料反复熏烤，又用光闪闪的珠玉镶嵌四周，用通红的玫瑰和碧绿的翡翠装饰点缀，真是珠光宝气，异香扑鼻！有个郑国人看中了这只精美无比的盒

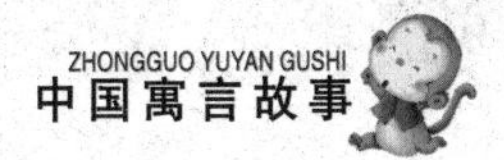

zi tā bǎ hé zi mǎi zǒu què bǎ hé zhōng de bǎo zhū tuì huán gěi le zhū
子。他把盒子买走，却把盒中的宝珠退还给了珠

bǎo shāng
宝商。

郑人的眼睛只盯着那只精美的盒子，结果却丢掉了真正有价值的宝珠。由此可见，做什么事情都要分清主次，否则就会像这位“买椟还珠”的郑人一样做出舍本逐末、取舍不当的傻事来。

动词

熏烤　　镶嵌

mài nong xiǎo cōngming de liè rén
卖弄小聪明的猎人

jù shuō lù pà shān lí shān lí pà lǎo hǔ lǎo hǔ pà mǎ
据说，鹿怕山狸，山狸怕老虎，老虎怕马
xióng chǔ guó yǒu ge liè rén dǎ liè de běn lǐng bù qiáng dàn tā huì shuǎ
熊。楚国有个猎人，打猎的本领不强，但他会耍
xiǎo cōng ming tā yòng zhú guǎn xiāo chéng kǒu shào néng bī zhēn de mó fǎng gè
小聪明。他用竹管削成口哨，能逼真地**模仿**各
zhǒng yě shòu de jiào shēng tā cháng xué yáng jiào lù míng bǎ huáng yáng méi
种野兽的叫声。他常学羊叫、鹿鸣，把黄羊、梅
huā lù yǐn dào gēn qián bǔ shā yǒu yí cì tā yòu dài zhe gōng jiàn huǒ
花鹿引到跟前捕杀。有一次，他又带着弓箭、火
yào děng dōng xi shàng shān le tā yòng
药等东西上山了。他用
kǒu shào chuī chu lù míng de shēng yīn
口哨吹出鹿鸣的声音，
méi xiǎng dào bī zhēn de lù míng shēng
没想到，逼真的鹿鸣声
bǎ xiǎng chī lù ròu de shān lí yǐn chu
把想吃鹿肉的山狸引出

lai le liè rén xià le yí tiào lián máng chuī chu lǎo hǔ de hǒu jiào shēng
来了。猎人吓了一跳，连忙吹出老虎的吼叫声，
bǎ shān lí xià pǎo le dàn bī zhēn de hǔ hǒu yòu zhāo lai yì zhī è hǔ
把山狸吓跑了。但逼真的虎吼又招来一只饿虎。
liè rén gèng huāng le jí máng chuī chu mǎ xióng de hǒu shēng bǎ lǎo hǔ xià pǎo
猎人更慌了，急忙吹出马熊的吼声，把老虎吓跑
le tā gāng xiǎng chuǎn yì kǒu qì yì zhī zhāng yá wǔ zhǎo de mǎ xióng wén shēng
了。他刚想喘一口气，一只张牙舞爪的马熊闻声
xún lai zhè ge zhǐ huì shuǎ xiǎo cōng ming de liè rén zài yě chuī bu chū bié de
寻来。这个只会耍小聪明的猎人再也吹不出别的
yě shòu jiào shēng lái xià hu mǎ xióng le tā hún fēi pò sàn tān chéng yì
野兽叫声来吓唬马熊了。他**魂飞魄散**，瘫成一
tuán tīng rèn mǎ xióng pū shang lai bǎ tā sī chéng le suì kuàir
团，听任马熊扑上来把他撕成了碎块儿。

猎人不靠真本事打猎，而靠吹哨子“骗猎”，最后落了个悲惨的结局。生活中我们做任何事情都要凭真本事，靠踏踏实实的劳动，不能靠小聪明，否则，就会像这个猎人一样，落得个可悲的下场。

想一想

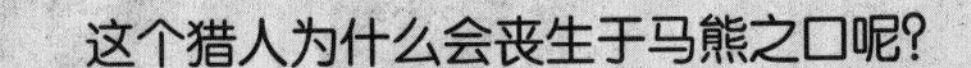
这个猎人为什么会丧生于马熊之口呢?

书生救火

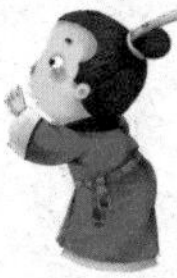

赵国成阳堪家失火了，火苗蹿上了房顶，但是家里没有梯子，全家人都很着急。成阳堪立即派他的儿子成阳朒到奔水氏家里去借梯子。成阳朒从小读书，书念得不怎么样，但读书人那套穷酸礼节却学得很到家。他立即换上一身出门做客的礼服，一摇三摆地到奔水氏家里去了。见了奔水氏，连作三

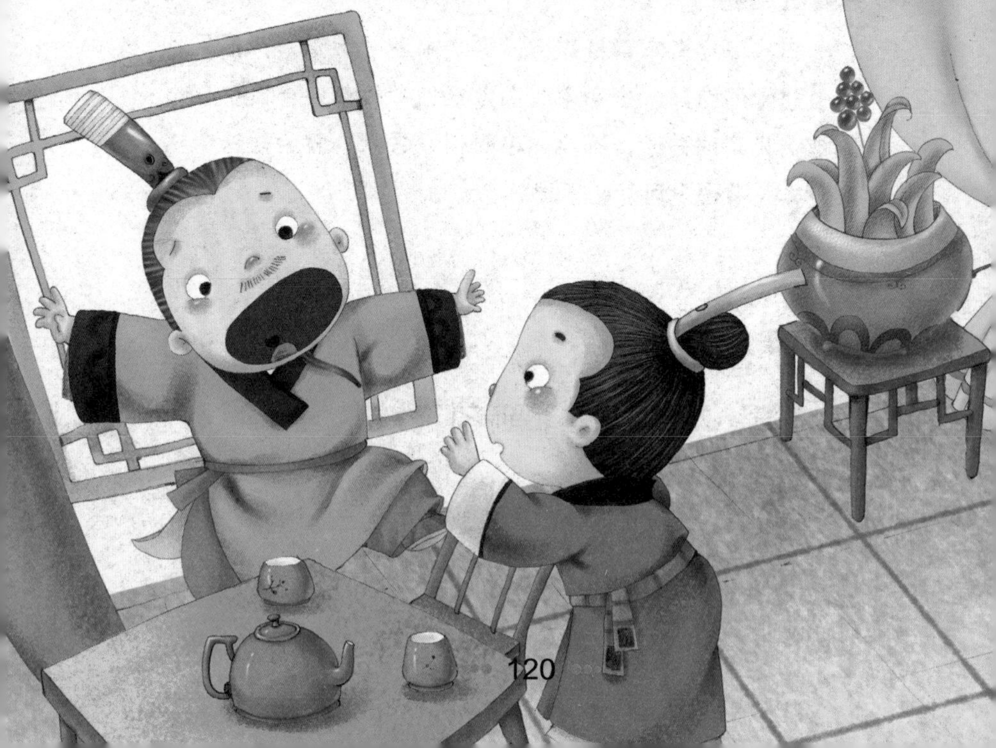

揖，然后**毕恭毕敬**地坐在客堂上。奔水氏以为成阳朒做客来了，立即设宴款待。成阳朒也向主人敬酒还礼。喝完了酒，奔水氏问：“您今天光临寒舍，一定有什么吩咐吧？”成阳朒这才说：“不瞒您说，我们家房子被大火烧着了，熊熊烈火直蹿屋顶。听说您家里有一架梯子，不知道能不能借我一用？”说罢，连连打躬作揖。奔水氏听后急得直跺脚：“你也太迂腐了！若是在山里吃饭碰上老虎，一定会急得吐掉食物逃命；若是在河里洗脚看见鳄鱼，一定会急得扔掉鞋子逃跑。家里烈火已经上房，现在是你打躬作揖的时候吗？”奔水氏扛上梯子就往成阳朒家跑。但是，成阳朒家的房屋早已烧成灰烬了。

阅读心得

当大家看到故事里的成阳朒在酒席间虚伪客套，而他的家却在大火中焚烧的时候，肯定都会失笑。这则故事告诉我们，做事情要分清主次，雷厉风行，讲求效率，讲求速度。

无谓的争论

哥儿俩外出打猎，看见远处飞来一群大雁，两人就张弓搭箭准备射雁。哥哥说：“现在的雁肥，射下来煮着吃。”弟弟反对：“大鹅煮着吃好，大雁还是烤着吃好，又香又酥。”“我说了算，就是煮着吃！”“这事儿该听我的，非烤不行！”两人争执不下，一直吵到村里的长辈面前。老人家给他们出了个

zhǔ yi shè xia lai de dà yàn yí bàn zhǔ zhe chī yí bàn kǎo zhe chī
主意：射下来的大雁，一半煮着吃，一半烤着吃。

gēr liǎ dōu tóng yì le děng dào tā men zài huí qu shè yàn de shí hou nà qún
哥儿俩都同意了。等到他们再回去射雁的时候，那群

dà yàn zǎo yǐ fēi de wú yǐng wú zōng le
大雁早已飞得**无影无踪**了。

射大雁的时机是非常有限的，哪里容得你谈论来商量去？这则故事告诉我们：做事情应该当机立断，说干就干。无休止地讨论，滔滔不绝地空谈，对事业只有百害而无一利。

兄弟俩为什么没有吃到雁肉呢？

wǔ shí bù xiào bǎi bù
五十步笑百步

zhàn guó zhōng qī yǒu ge guó jūn jiào liáng huì wáng wèi le kuò dà jiāng yù jù liǎn cái fù tā xiǎng chu le xǔ duō zhǔ yi hái bǎ bǎi xìng gǎn dào zhàn chǎng shang wèi tā dǎ zhàng yǒu yì tiān tā wèn mèng zǐ wǒ duì yú guó jiā zǒng suàn jìn xīn le ba hé nèi nián cheng bù hǎo wǒ jiù bǎ hé nèi de zāi mín yí dào hé dōng bǎ hé dōng de liáng shi diào dào hé nèi hé dōng yù dào huāng nián de

战国中期有个国君叫梁惠王。为了扩大疆域，聚敛财富，他想出了许多主意，还把百姓赶到战场上为他打仗。有一天，他问孟子：“我对于国家，总算尽心了吧？河内年成不好，我就把河内的灾民移到河东，把河东的粮食调到河内。河东遇到荒年的

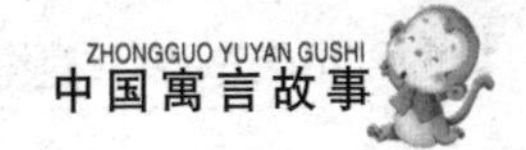

shí hou wǒ yě tóngyàng shè fǎ jiù zāi kàn kan lín guó de jūn wáng hái méi yǒu
时候，我也同样设法救灾。看看邻国的君王，还没有
xiàng wǒ zhè yàng zuò de kě shì lín guó de bǎi xìng bìng méi yǒu dà liàng táo pǎo
像我这样做的。可是，邻国的百姓并没有大量逃跑，
wǒ guó de bǎi xìng yě méi yǒu míngxiǎn de zēng jiā zhè shì shén me dào lǐ ne
我国的百姓也没有明显地增加，这是什么道理呢？”
mèng zǐ huí dá shuō dà wáng xǐ huan dǎ zhàng wǒ jiù ná dǎ zhàng zuò bǐ fang
孟子回答说：“大王喜欢打仗，我就拿打仗作比方
ba zhàn chǎng shang zhàn gǔ yì xiǎng shuāngfāng de shì bīng jiù dāo duì dāo qiāng
吧。战场上，战鼓一响，双方的士兵就刀对刀、枪
duì qiāng de dǎ qi lai dǎ bài de yì fāng diū kuī xiè jiǎ tuō zhe dāo qiāng gǎn
对枪地打起来。打败的一方丢盔卸甲，拖着刀枪赶
jǐn táo mìng yǒu yí ge rén táo le yì bǎi bù lìng yí ge rén táo le wǔ shí
紧逃命。有一个人逃了一百步，另一个人逃了五十
bù zhè shí hou rú guǒ nà ge táo le wǔ shí bù de cháo xiào nà ge táo le
步。这时候，如果那个逃了五十步的嘲笑那个逃了
yì bǎi bù de dǎn xiǎo pà sǐ nín shuō zhè zhǒng zuò fǎ duì bu duì liáng huì
一百步的胆小怕死，您说这种做法对不对？”梁惠
wángshuō dāng rán bú duì tā zhǐ bú guò méi yǒu táo dào yì bǎi bù bà le
王说：“当然不对，他只不过没有逃到一百步罢了，
dàn tóngyàng yě shì táo pǎo a mèng zǐ shuō dà wáng jì rán dǒng de zhè ge
但同样也是逃跑啊！”孟子说：“大王既然懂得这个
dào lǐ zěn me nénggòu xī wàng nín de bǎi xìng huì bǐ lín guó de duō ne
道理，怎么能够希望您的百姓会比邻国的多呢？”

阅读心得

逃了五十步和逃了一百步，虽然在数量上有区别，但在本质上是一样的——都是逃跑。这则寓言告诉我们，看事情要看本质，不要被表面现象迷惑。

知了、螳螂和黄雀

盛夏的早晨，园子里鲜花怒放，百鸟争鸣。知了趴在高高的树枝上，拉着长声尽情地歌唱。唱累了，它就吮吸几口露水，接着再唱。怡然自得的知了根本没有发觉身后有一只螳螂正在向它逼近。当螳螂正**蹑手蹑脚**，**全神贯注**地举着镰刀似的前脚，准备偷

xí zhī liǎo de shí hou tā yì dīng diǎnr yě méi yǒu zhù yì dào zì jǐ de shēn
袭知了的时候，它一丁点儿也没有注意到自己的身
hòu yǒu yì zhī huáng què yǐ jīng dīng zhù le tā féi shí de shēn qū dāng huáng què zhèng
后有一只黄雀已经盯住了它肥实的身躯。当黄雀正
shēn zhe bó zi pū shan zhe chì bǎng zhǔn bèi fēi pū liè wù de shí hou tā
伸着脖子，扑扇着翅膀，准备飞扑猎物的时候，它
yà gēnr yě méi xiǎng dào shù xia yǒu yì zhāng dàn gōng yǐ jīng miáo zhǔn le tā zì jǐ
压根儿也没想到树下有一张弹弓已经瞄准了它自己
de nǎo ké
的脑壳。

知了只顾尽情歌唱，螳螂只顾偷袭知了，黄雀只顾盯着螳螂。它们都犯了鼠目寸光、瞻前不顾后的毛病，以致招来杀身大祸。生活中我们也要学会思前想后，居安思危，既看到有利条件，又看到不利因素。只有这样，才能避免主观片面性，才能把事情做好。

蹑手蹑脚 ________ ________

zì xiāng máo dùn
自相矛盾

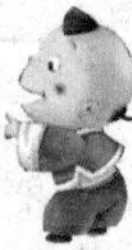

cóng qián yǒu ge chǔ guó de shāng rén zài shì chǎng shang chū mài zì zhì de cháng
从前有个楚国的商人在市场上出卖自制的长
máo hé dùn pái tā xiān bǎ dùn pái jǔ qi lai yí miàn pāi yí miàn chuī xū shuō
矛和盾牌。他先把盾牌举起来，一面拍一面吹嘘说：
wǒ mài de dùn pái zuì láo zài jiān gù méi yǒu le bù guǎn duì fāng shǐ de cháng
“我卖的盾牌最牢，再坚固没有了。不管对方使的长
máo zěn yàng fēng lì dōu bié xiǎng cì tòu wǒ de dùn pái tíng le yí huìr
矛怎样锋利，都别想刺透我的盾牌！”停了一会儿，
tā yòu jǔ qi cháng máo xiàng wéi guān de rén men kuā yào wǒ zuò de cháng máo zuì
他又举起长矛向围观的人们夸耀：“我做的长矛最
kuài zài fēng lì méi yǒu le bù guǎn duì fāng
快，再**锋利**没有了。不管对方
dǐ dǎng de dùn pái zěn yàng jiān gù wǒ de cháng
抵挡的盾牌怎样坚固，我的长

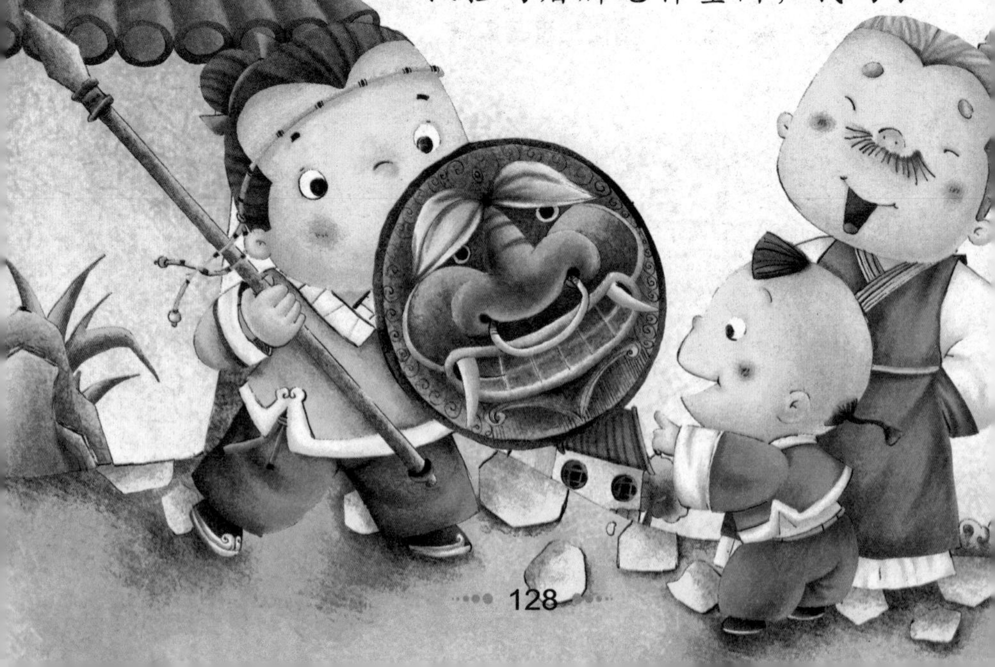

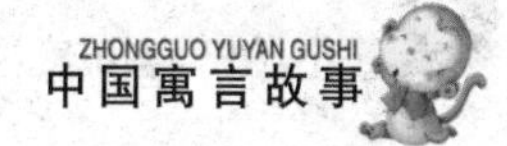

máo yí cì jiù tòu wéi guān de rén qún zhōng yǒu rén wèn dào rú guǒ yòng
矛一刺就透！”围观的人群中有人问道：“如果用
nǐ zuò de cháng máo lái cì nǐ zuò de dùn pái shì cì de tòu hái shi cì bu tòu
你做的长矛来刺你做的盾牌，是刺得透还是刺不透
ne chǔ guó shāng rén zhàng hóng zhe liǎn bàn tiān huí dá bu shàng lái
呢？”楚国商人涨红着脸，半天回答不上来。

阅读心得

故事中的商人自吹自擂，最后弄得自相矛盾，无法收场。我们在生活中也要警惕，不管是说话还是做事，在同一时间和同一关系中，不能有两种相反的说法或做法，否则就会前后抵触，矛盾百出。

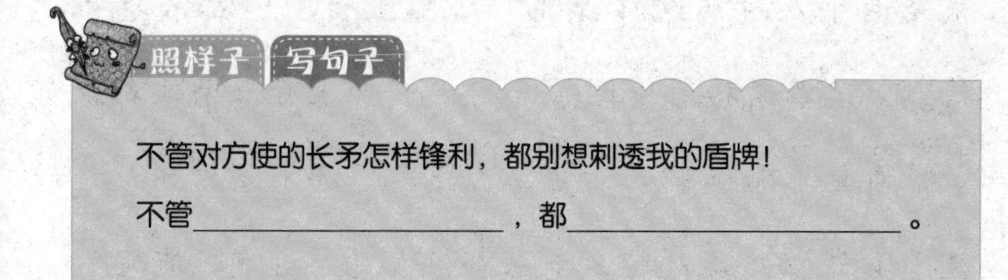

照样子 写句子

不管对方使的长矛怎样锋利，都别想刺透我的盾牌！

不管＿＿＿＿＿＿＿＿＿＿，都＿＿＿＿＿＿＿＿＿＿。

sān rén chéng hǔ
三人成虎

wèi guó dà fū páng gōng hé wèi guó tài zǐ yì qǐ zuò wéi zhào guó de rén zhì
魏国大夫庞恭和魏国太子一起作为赵国的人质，
dìng yú mǒu rì qǐ chéng fù zhào dū hán dān lín xíng shí páng gōng xiàng wèi wáng tí
定于某日启程赴赵都邯郸。临行时，庞恭向魏王提
chu yí ge wèn tí tā shuō rú guǒ yǒu yí ge rén duì nín shuō tā kàn
出一个问题，他说：“如果有一个人对您说，他看
jiàn nào shì xī xī rǎng rǎng de rén qún zhōng yǒu yì zhī lǎo hǔ jūn wáng xiāng xìn
见闹市熙熙攘攘的人群中有一只老虎，君王相信
ma wèi wáng shuō wǒ dāng rán bú xìn páng gōng yòu wèn rú
吗？”魏王说：“我当然不信。”庞恭又问：“如
guǒ shì liǎng ge rén duì nín zhè yàng shuō ne wèi wáng shuō nà wǒ yě bú
果是两个人对您这样说呢？”魏王说：“那我也不
xìn páng gōng jǐn jiē zhe zhuī wèn le yí jù rú guǒ yǒu sān ge rén dōu shuō
信。”庞恭紧接着追问了一句：“如果有三个人都说
qīn yǎn kàn jiàn le nào shì zhōng de lǎo hǔ dà wáng shì fǒu hái bù xiāng xìn ne
亲眼看见了闹市中的老虎，大王是否还不相信呢？”
wèi wáng shuō dào jì rán zhè me duō rén dōu shuō kàn jiàn le lǎo hǔ kěn dìng què
魏王说道：“既然这么多人都说看见了老虎，肯定确
yǒu qí shì suǒ yǐ wǒ bù néng
有其事，所以我不能
bú xìn páng gōng tīng le
不信。”庞恭听了
zhè huà yǐ hòu shēn yǒu gǎn chù
这话以后，深有感触
de shuō guǒ rán bù chū wǒ
地说：“果然不出我
de suǒ liào wèn tí jiù chū
的所料，问题就出

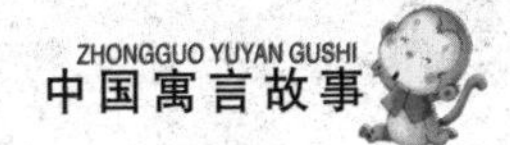

zài zhè li shì shí shang rén hǔ xiāng pà gè zhàn jǐ fēn jù tǐ de shuō
在这里！事实上，人虎相怕，各占几分。具体地说，
mǒu yí cì jiū jìng shì rén pà hǔ hái shi hǔ pà rén yào gēn jù lì liang duì bǐ lái
某一次究竟是人怕虎还是虎怕人，要根据力量对比来
lùn zhòng suǒ zhōu zhī yì zhī lǎo hǔ shì jué bù gǎn chuǎng rù nào shì zhī zhōng
论。**众所周知**，一只老虎是绝不敢闯入闹市之中
de rú jīn dà wáng bú gù jí qíng lǐ bù shēn rù diào chá zhǐ píng sān rén shuō
的。如今大王不顾及情理，不深入调查，只凭三人说
yǒu hǔ jí kěn dìng yǒu hǔ nà me děng wǒ dào le bǐ nào shì hái yuǎn de hán dān
有虎即肯定有虎，那么等我到了比闹市还远的邯郸，
nín yào shi tīng jiàn sān ge huò gèng duō bù xǐ huan wǒ de rén shuō wǒ de huài huà qǐ
您要是听见三个或更多不喜欢我的人说我的坏话，岂
bú shì yào duàn yán wǒ shì huài rén ma lín bié zhī qián wǒ xiàng nín shuō chu zhè diǎnr
不是要断言我是坏人吗？临别之前，我向您说出这点儿
yí lǜ xī wàng dà wáng yí dìng bú yào qīng xìn rén yán
疑虑，希望大王一定不要轻信人言。”

páng gōng zǒu hòu yì xiē píng shí duì tā xīn huái bù mǎn de rén kāi shǐ zài wèi
庞恭走后，一些平时对他心怀不满的人开始在魏
wáng miàn qián shuō tā de huài huà shí jiān yì cháng wèi wáng guǒ rán tīng xìn le zhè
王面前说他的坏话。时间一长，魏王果然听信了这
xiē chán yán dāng páng gōng cóng hán dān huí wèi guó shí wèi wáng zài yě bú yuàn yì
些谗言。当庞恭从邯郸回魏国时，魏王再也不愿意
zhào jiàn tā le
召见他了。

本来人群中有虎是明显的谎言，可是传得人多了，大家还是会相信，由此可以看出流言的力量。这提醒我们对待任何事情都要有自己的分析，不要人云亦云，被假象蒙蔽。

yǎn qián yǔ jiāng lái
眼前与将来

yǒu yì tiān qí wáng shàng cháo de shí hou zhèng zhòng qí shì de duì dà
有一天，齐王上朝的时候，郑重其事地对大
chén men shuō wǒ guó dì chǔ jǐ ge qiáng guó zhī jiān jūn wù fáng bèi de wèn
臣们说：“我国地处几个强国之间，军务防备的问
tí nián nián dōu yào gǎo zhè cì wǒ xiǎng lái ge dà de xíng dòng chè dǐ jiě jué wèn
题年年都要搞。这次我想来个大的行动，彻底解决问
tí móu chén ài zǐ shàng qián wèn dào bù zhī dà wáng yǒu hé dǎ suàn
题。”谋臣艾子上前问道：“不知大王有何打算？”

qí wáng shuō wǒ yào yán guó jìng xiàn xiū yí dào cháng cháng de chéng qiáng
齐王说：“我要沿国境线修一道长长的城墙。
zhè dào chéng qiáng dōng qǐ dà hǎi xī jīng tài háng mián yán sì qiān lǐ jiāng wǒ
这道城墙东起大海，西经太行，绵延四千里，将我
guó yǔ gè gè qiáng guó gé jué kai lai cóng cǐ qín guó wú fǎ kuī
国与各个强国隔绝开来。从此，秦国无法窥
sì wǒ xī bù chǔ guó nàn yǐ wēi xié wǒ nán bian hán
伺我西部，楚国难以威胁我南边，韩
guó wèi guó bù gǎn qiān zhì wǒ zuǒ yòu
国、魏国不敢牵制我左右。

你们说，这不是一件很有价值的事吗？”艾子说：“大王，这样大的工程，百姓们能承受得了吗？”齐王说：“是的，百姓筑城的确要吃很多苦头，但这样一劳永逸的事，谁会不拥护呢？”

艾子沉吟片刻，恳切地对齐王说：“昨天一大早，天空下起了大雪，我在赶赴早朝的途中，看见道旁躺着一个人，他光着身子，都快要冻僵了，却仰望着老天唱赞歌。我问他为什么这样做，他回答说：‘老天爷这场雪下得真好啊！可以料到明年麦子大丰收，人们可以吃到廉价的麦子了。可是，明年却离我太遥远，眼下我就要被冻死了！’大王，臣以为，这件事正像您今天说的筑城墙，老百姓眼下正生活得朝不保夕，哪能奢望将来有什么大福呢？”齐王无言以对。

阅读心得

只想将来而不看眼前，再好的计划也只能是空中楼阁。所以我们一定要从实际出发，既要考虑将来，又要顾及当前。

dé yì wàngxíng de lǎo hǔ
得意忘形的老虎

cóngqián yǒu yí ge nóng fū tā de dì zài yí piàn lú wěi dì de pángbiān
从前有一个农夫，他的地在一片芦苇地的旁边。
nà lú wěi dì li chángcháng yǒu yě shòu chū mò tā dān xīn zì jǐ de zhuāng jia bèi
那芦苇地里常常有野兽出没，他担心自己的庄稼被
yě shòu huǐ huài le jiù zǒng shì ná zhe gōng jiàn dào zhuāng jia dì hé lú wěi dì jiāo
野兽毁坏了，就总是拿着弓箭到庄稼地和芦苇地交
jiè de dì fang lái huí xún shì
界的地方来回巡视。

zhè yì tiān nóng fū yòu lái dào tián biān kān hù zhuāng jia yì tiān xià
这一天，农夫又来到田边看护庄稼，一天下
lai méi yǒu shén me shì qing fā shēng píng ping ān ān
来，没有什么事情发生，平平安安
de dào le huáng hūn shí fēn nóng fū jiàn hái ān
地到了黄昏时分。农夫见还安
quán yòu gǎn dào què shí yǒu xiē lèi le
全，又感到确实有些累了，
jiù zuò zài lú wěi dì biān xiū xi
就坐在芦苇地边休息。

hū rán tā fā xiàn wěi cóng zhōng de lú huā fēn fēn yáng qi zài kōng zhōng
忽然，他发现苇丛中的芦花纷纷扬起，在空中
piāo lái piāo qù tā bù jīn gǎn dào shí fēn yí huò qí guài wǒ bìng méi
飘来飘去。他不禁感到十分疑惑：“奇怪，我并没
yǒu kào zài lú wěi shang yáo huàng tā zhè huìr yě méi yǒu yì sī fēng lú huā
有靠在芦苇上摇晃它，这会儿也没有一丝风，芦花
zěn me huì fēi qi lai ne yě xǔ shì wěi cóng zhōng lái le shén me yě shòu zài huó
怎么会飞起来呢？也许是苇丛中来了什么野兽在活
dòng ba
动吧。”

zhè me xiǎng zhe nóng fū tí gāo le jǐng tì zhàn qǐ shēn lai yí ge jìnr
这么想着，农夫提高了**警惕**，站起身来一个劲儿
de xiàng wěi cóng zhōng zhāng wàng guān chá shì shén me dōng xi yǐn bì zài nà li guò
地向苇丛中张望，观察是什么东西隐蔽在那里。过
le hǎo yí huìr tā cái kàn qīng yuán lái shì yì zhī lǎo hǔ zhǐ jiàn tā bèng bèng
了好一会儿，他才看清原来是一只老虎。只见它蹦蹦
tiào tiào de shí ér yáo yao nǎo dai shí ér huàng huang wěi ba kàn shàng qu hǎo
跳跳的，时而摇摇脑袋，时而晃晃尾巴，看上去好
xiàng gāo xìng de bù dé liǎo
像高兴得不得了。

nóng fū xiǎng le xiǎng rèn wéi tā yí dìng shì bǔ zhuō dào shén me liè wù
农夫想了想，认为它一定是捕捉到什么猎物
le lǎo hǔ dé yì de jiǎn zhí wàng le xíng wán quán wàng le zhù yì zhōu wéi huì
了。老虎得意得简直忘了形，完全忘了注意周围会
yǒu shén me wēi xiǎn lǚ cì cóng wěi cóng zhōng tiào qi jiāng zì jǐ de shēn tǐ
有什么危险，屡次从苇丛中跳起，将自己的身体
bào lù zài nóng fū de shì xiàn li nóng fū qiāo qiāo cáng hǎo yòng gōng jiàn miáo
暴露在农夫的视线里。农夫悄悄藏好，用弓箭瞄
zhǔn lǎo hǔ xiàn shēn de dì fang chèn tā yòu yí cì yuè qi tuō lí wěi cóng de
准老虎现身的地方，趁它又一次跃起，脱离苇丛的
shí hou jiù yí jiàn shè guo qu lǎo hǔ lì kè fā chū yì shēng qī lì de jiào
时候，就一箭射过去，老虎立刻发出一声**凄厉**的叫
shēng pū dǎo zài wěi cóng li
声，扑倒在苇丛里。

nóng fū guò qu yí kàn lǎo hǔ qián xiōng chā zhe jiàn shēn xia hái zhěn zhe
农夫过去一看，老虎前胸插着箭，身下还枕着

yì zhī sǐ zhāng zi
一只死獐子。

阅读心得

老虎捕到了獐子，高兴万分，却没料到会中箭而死，真可谓是乐极生悲！所以说无论做什么事，我们都应该谨慎小心，不要被一时的胜利冲昏了头脑，以致丧失了对危险的警惕，为自己埋下隐患。

读一读 写一写

平平安安 ________ ________

蹦蹦跳跳 ________ ________

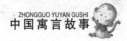

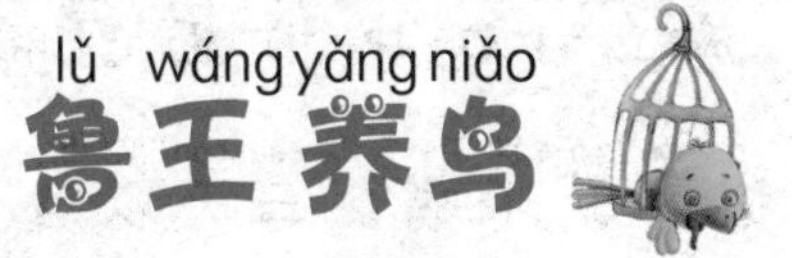

lǔ wáng yǎng niǎo
鲁王养鸟

lǔ guó de jiāo wài fēi lai yì zhī qí yì de hǎi niǎo lǎo bǎi xìng cóng lái méi
鲁国的郊外飞来一只奇异的海鸟。老百姓从来没
yǒu jiàn guo zhè zhǒng niǎo fú lǎo xié yòu qián qù guān kàn
有见过这种鸟，扶老携幼前去观看。

xiāo xi chuán jin gōng nèi lǔ wáng yǐ wéi shì shén niǎo xià fán mìng lìng bǎ
消息传进宫内，鲁王以为是神鸟下凡，命令把
niǎo zhuō jin gōng zhōng gòng yǎng
鸟捉进宫中供养
zài miào táng shàng miàn tā ràng
在庙堂上面。他让
gōng tíng yuè duì wèi hǎi niǎo yǎn zòu
宫廷乐队为海鸟演奏
zhuāng yán sù mù de gōng
庄严肃穆的宫
tíng yuè qǔ ràng yù shàn
廷乐曲，让御膳
fáng wèi hǎi niǎo bǎi xia zuì
房为海鸟摆下最

丰盛的酒席。海鸟被这种场面吓得头晕目眩，**惊慌失措**。它不吃不喝，三天以后就死了。

人乐于享用的一切，鸟类不一定也乐于享用。如果强行这样做，只会把鸟儿活活折磨死！所以我们应该明白这样一个道理，那就是做任何事情都不要违背客观规律，以免做事时怀着美好的愿望，最后却得到完全相反的结果。

成语

头晕目眩　惊慌失措

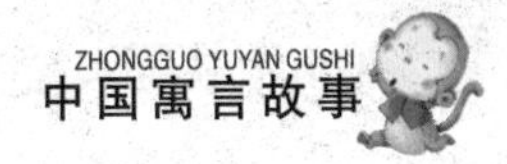

xǐ què bān jiā

喜鹊搬家

xǐ què hěn cōngmíng xīn nián gānggāng lái lín tā jiù yù liào dào jīn nián duō
喜鹊很聪明，新年刚刚来临，它就预料到今年多
fēng tè bié shì chūn qiū jì jié fēng huì guā de yì cháng měng liè tā máng lù
风，特别是春秋季节，风会刮得异常猛烈。它忙碌
le hǎo jǐ tiān zhōng yú bǎ zì jǐ yuán lái zhù zài shù dǐng shang de cháo bān dào xià
了好几天，终于把自己原来筑在树顶上的巢搬到下
miàn de zhī yā shang le zhè yàng yì lái dà fēng bù kě néng bǎ tā de què cháo chuī
面的枝丫上了。这样一来，大风不可能把它的鹊巢吹
luò le dàn shì bié de zāi nàn què jiē zhǒng ér lái cháo lí dì miàn tài jìn
落了，但是，别的灾难却接踵而来：巢离地面太近
le dà ren jīng guò zhè li shēnshǒu jiù bǎ xiǎo xǐ què ná zǒu le xiǎo hái zi
了，大人经过这里，伸手就把小喜鹊拿走了；小孩子

jīng guò zhè li　yě yòng zhú gān tiǎo cháo li de què dàn　cōngmíng de xǐ què zhǐ zhī
经过这里，也用竹竿挑巢里的鹊蛋。聪明的喜鹊只知

dào fáng bèi yuǎn nàn　què wàng le fáng bèi jìn huàn
道防备远难，却忘了防备近患。

阅读心得

喜鹊只看到了遥远的灾难，却忘了眼前的忧患，落了个悲惨的结局。这告诉我们远难和近患都应该考虑到，忽视了任何一面，都会遭殃。实际生活中，我们一定要学会全面地观察、分析和解决问题。

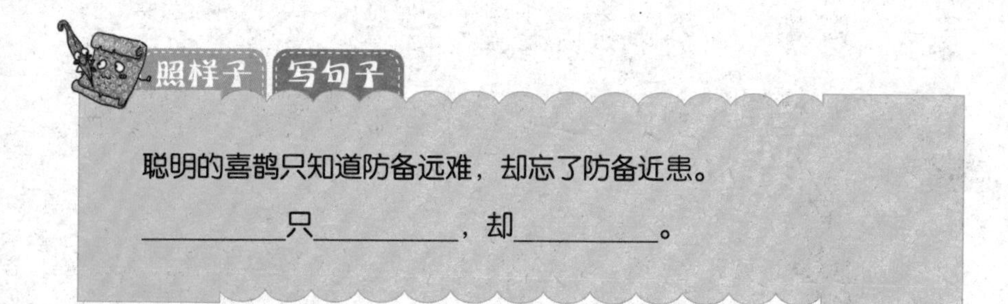

照样子 写句子

聪明的喜鹊只知道防备远难，却忘了防备近患。

__________只__________，却__________。

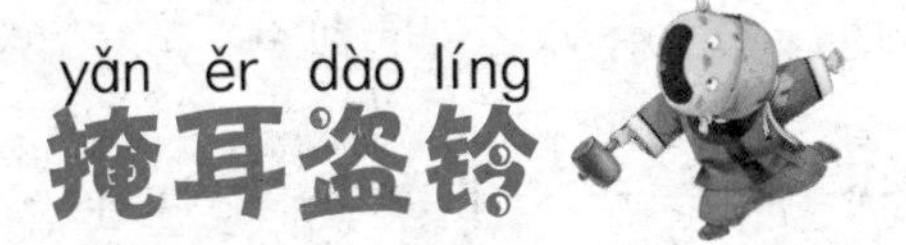

yǎn ěr dào líng
掩耳盗铃

yǒu ge xiǎo tōu zuān jin le fàn jiā de yuàn zi tā fā xiàn yǒu yì kǒu zhōng
有个小偷钻进了范家的院子。他发现有一口钟，

xiǎng bǎ tā bēi zǒu ba zhōng tài dà bēi bu dòng xiǎng bǎ tā zá suì dàng fèi tóng
想把它背走吧，钟太大，背不动；想把它砸碎当废铜

mài ba yòu pà fā chū xiǎng shēng jīng dòng zhǔ rén zhè ge cōng míng de
卖吧，又怕发出响声，惊动主人。这个“聪明”的

小偷转念一想：之所以会听到钟声，不就是因为有耳朵吗？把耳朵堵住，钟声不就听不见了吗？于是他找了两个烂棉花团儿，把自己的耳朵堵得死死的，然后，就放心大胆地砸起钟来。但是，他的耳朵堵住了，并不等于所有人的耳朵都堵住了，更不等于钟声就消失了。没砸几下，小偷就被抓住了。

钟声是客观存在的，不会因为你堵住耳朵就消失了。在生活中，我们也必须明白，对客观存在的现实不正视、不研究，采取闭目塞听的态度，这是自欺欺人，终究会自食苦果的。

动词

砸　堵

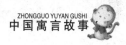

zhāo sān mù sì

朝三暮四

cóng qián sòng guó yǒu ge lǎo tóur hěn xǐ huan hóu zi zài jiā li yǎng
从前，宋国有个老头儿，很喜欢猴子，在家里养
le yí dà qún shí jiān cháng le tā néng liǎo jiě hóu zi de pí qi bǐng xìng
了一大群。时间长了，他能了解猴子的脾气秉性，
hóu zi yě néng tīng dǒng tā shuō de huà lǎo tóur yù fā gāo xìng le nìng yuàn jiǎn
猴子也能听懂他说的话。老头儿愈发高兴了，宁愿减
shǎo quán jiā de kǒu liáng yě yào ràng hóu zi chī bǎo yóu yú hóu zi de shí liàng
少全家的口粮，也要让猴子吃饱。由于猴子的食量
tài dà lǎo tóur jiā li de cún liáng yì tiān bǐ yì tiān shǎo le tā xiǎng xiàn
太大，老头儿家里的存粮一天比一天少了。他想限

下猴子吃食的数量，就向猴子宣布："从今天早饭起，你们吃的橡实要定量，早上三个，晚上四个，怎么样，够了吧？"猴子听了一个个都龇牙咧嘴，乱蹦乱跳，显出很不满意的神色。老头儿见猴子嫌少，就重新宣布："既然你们嫌少，那就早上四个，晚上三个，这样总够了吧？"猴子听说早上从三个变为四个，都以为是增加了橡实的数量，一个个摇头摆尾，伏在地上，咧着大嘴直乐。

阅读心得

早上三个、晚上四个变为早上四个、晚上三个，总数还是七个，猴子却"一个个摇头摆尾，伏在地上，咧着大嘴直乐"。这则寓言告诉我们，看事情要看整体和本质，而不要被不同的形式迷惑。

"朝三暮四"这个成语，现在常用来批评反复无常的行为。

bēi gōng shé yǐng

杯弓蛇影

cóng qián yǒu ge zuò guān de rén jiào lè guǎng tā yǒu wèi hǎo péng you yì yǒu
从前有个做官的人叫乐广。他有位好朋友，一有
kòng jiù yào dào tā jiā li lái liáo tiānr yǒu yí duàn shí jiān tā de péng you yì
空就要到他家里来聊天儿。有一段时间，他的朋友一
zhí méi yǒu lòu miàn lè guǎng shí fēn diàn niàn jiù dēng mén bài fǎng zhǐ jiàn péng
直没有露面。乐广十分惦念，就登门拜访。只见朋
you bàn zuò bàn tǎng de yǐ zài chuáng shang liǎn sè là huáng lè guǎng zhè cái zhī dào
友半坐半躺地倚在床上，脸色蜡黄。乐广这才知道
péng you shēng le zhòng bìng jiù wèn tā de bìng shì zěn me dé de péng you zhī zhi wū
朋友生了重病，就问他的病是怎么得的。朋友支支吾
wū de shuō nà tiān zài nín jiā hē jiǔ wǒ kàn jiàn jiǔ bēi li yǒu yì tiáo qīng
吾地说：“那天在您家喝酒，我看见酒杯里有一条青
pí hóng huā de xiǎo shé zài yóu dòng dāng shí ě xin jí le xiǎng bù hē ba nín
皮红花的小蛇在游动，当时恶心极了，想不喝吧，您
yòu zài sān quàn yǐn chū yú lǐ mào jiù bì zhe yǎn jing hē le xià qù cóng cǐ
又再三劝饮，出于礼貌，就闭着眼睛喝了下去。从此
yǐ hòu jiù lǎo jué de dù zi li yǒu tiáo xiǎo shé zài luàn cuàn
以后，就老觉得肚子里有条小蛇在乱窜，
zǒng xiǎng ǒu tù shén me dōng xi yě chī bu xià qù dào xiàn zài
总想呕吐，什么东西也吃不下去，到现在
bìng le kuài bàn ge yuè le lè guǎng
病了快半个月了。”乐广
xīn xiǎng jiǔ bēi li zěn me
心想：“酒杯里怎么
huì yǒu xiǎo shé ne dàn tā
会有小蛇呢？”但他
de péng you yòu fēn míng kàn
的朋友又分明看

见了，这是怎么回事儿呢？”回到家中，他在客厅里踱来踱去，分析原因。他看见墙上挂着一张青漆红纹的雕弓，心里一动：是不是这张雕弓在捣鬼？于是，他斟了一杯酒，放在桌子上，移动了几个位置，终于看见那张雕弓的影子清晰地投映在酒杯中，随着酒的晃动，真像一条青皮红花的小蛇在游动。

乐广马上把朋友接到家中。请他仍旧坐在上次的位置上，仍旧用上次的酒杯为他斟了满满一杯酒，问道：“您再看看酒杯中有什么东西？”那个朋友低头一看，立刻惊叫起来：“蛇！蛇！”

乐广哈哈大笑，指着壁上的雕弓说：“您抬头看看，那是什么？”朋友看看雕弓，再看看杯中的蛇影，恍然大悟，心病也全消了。

乐广的朋友被酒杯中的小蛇吓到。乐广经过认真调研，揭开了“杯弓蛇影”这个谜。在生活中无论遇到什么问题，我们都要尽力求得事实真相，解决问题。

处世篇

没有人可以孤立地生活在这个世界上，总会与他人往来。我国千百年来积累和传承的寓言故事，就像一面面镜子，可以让小朋友们掌握正确的为人原则，摒弃错误的为人习气。

bā ge xué shé

八哥学舌

yǒu yì zhī bā ge jīng guò zhǔ rén de xùn liàn xué huì le mó fǎng rén shuō
有一只八哥，经过主人的训练，学会了模仿人说
huà tā měi tiān diān lái dǎo qù jiù huì shuō nà me jǐ jù huà dàn shì què zì yǐ
话。它每天颠来倒去就会说那么几句话，但是却自以
wéi liǎo bu qǐ bǎ shuí dōu bú fàng zài yǎn li yǒu yì tiān zhī liǎo zài shù shāo
为了不起，把谁都不放在眼里。有一天，知了在树梢
shang yí ge jìnr de jiào jiào de bā ge xīn fán yì luàn tā jiù duì zhī liǎo
上一个劲儿地叫，叫得八哥**心烦意乱**。它就对知了
rāng rang wèi wèi xiē huìr xíng bu xíng jiù huì fā chū dān diào de zào
嚷嚷：“喂，喂，歇会儿行不行？就会发出单调的噪
yīn hái jiào qi lai méi ge wán le ne wǒ huì shuō rén huà yě bú xiàng nǐ nà
音，还叫起来没个完了呢！我会说人话，也不像你那

样炫耀。”知了没有生气，只是微微一笑：“大哥，你会模仿人说话，这当然很好，但是你每天百遍千遍学说的话，依我看其实等于没说。我不会模仿人说话，也没有一副动听的歌喉，但是我能用自己的声音表达我想表达的意思，而你呢？”八哥听了这席话，满脸通红，张口结舌，把脑袋深深地埋进了翅膀里。从此以后，这只八哥再也不跟主人学舌了。

阅读心得

故事中的八哥空有高超的学话本领，却没有思想，只能人云亦云，这是十分可悲的。我们要开动脑筋，积极思考，勇于表达自己的观点，不做思想上的懒汉，更不当生活中的懦夫。

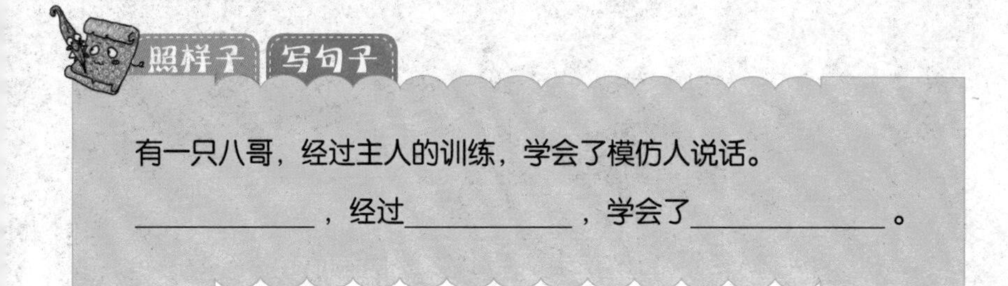

照样子 写句子

有一只八哥，经过主人的训练，学会了模仿人说话。

__________，经过__________，学会了__________。

bù tīng zhōng gào
不听忠告

yǒu hù rén jiā de yān cōng qì de tài zhí yì shāo huǒ jiù zhí mào huǒ xīngr
有户人家的烟囱砌得太直，一烧火就直冒火星儿，
yān cōng páng biān hái duī zhe yí dà duī chái huo yǒu wèi kè rén kàn jiàn zhè zhǒng qíng
烟囱旁边还堆着一大堆柴火。有位客人看见这种情
kuàng jiù tí xǐng zhǔ rén zhè yàng tài wēi xiǎn le huì shī huǒ de nín bǎ
况就提醒主人：“这样太危险了，会失火的。您把
yān cōng gǎi zào yí xià qì ge wān dào chái huo yě bú yào fàng de nà me jìn cái
烟囱改造一下，砌个弯道。柴火也不要放得那么近才
hǎo zhǔ rén zhǐ shì suí biàn de yìng zhe gēn běn méi yǒu tīng jin qu
好。”主人只是随便地应着，根本没有听进去。

méi guò jǐ tiān yóu yú huǒ xīngr luò jin chái duī guǒ
没过几天，由于火星儿落进柴堆，果
rán shī huǒ le xìng kuī zhòng xiāng lín lái de
然失火了。幸亏众乡邻来得
jí shí fèn lì pū jiù cái méi yǒu zào
及时，奋力扑救，才没有造

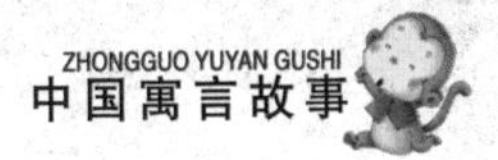

成严重的损失。

第二天，主人杀猪宰羊，大摆宴席，答谢救火的乡邻。他把被火烧得焦头烂额的邻居请入上座，其他人也按出力大小依次入座。但是那位最早提出忠告的客人呢，主人压根儿没想到应该请他来入席。

阅读心得

救火的人固然应该感谢，事前提出防火忠告的人更应该感谢。生活中我们要虚心听取他人的意见，善于采纳建议，防患于未然，这样，就可以避免很多不幸的事情发生。

想一想

为什么主人摆宴不请劝过他的人？他这样做对吗？

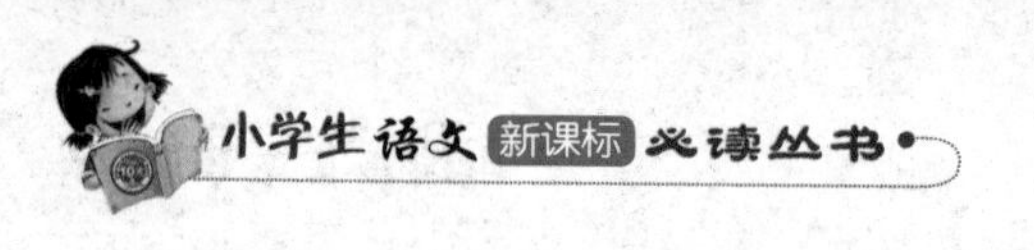

cì fēi shā jiāo
次非杀蛟

chǔ guó yǒu wèi yǒng shì jiào cì fēi tā zài gān suì nà ge dì fang mǎi dào yì
楚国有位勇士叫次非。他在干遂那个地方买到一

bǎ fēng lì de bǎo jiàn zài huí xiāng de tú zhōng tā chéng zuò yì zhī mù chuán guò
把锋利的宝剑。在回乡的途中，他乘坐一只木船过

jiāng mù chuán gāng dào jiāng xīn tū rán bō tāo xiōng yǒng jiāng shuǐ zhōng cuān chu
江。木船刚到江心，突然波涛汹涌，江水中蹿出

liǎng tiáo è jiāo cóng zuǒ yòu liǎng biān wéi zhù le mù chuán chuán shang de chéng kè yí
两条恶蛟，从左右两边围住了木船，船上的乘客一

gè gè dōu xià de hún fēi pò sàn yáo chuán rén yě dǒu zuò yì tuán cì fēi wèn
个个都吓得魂飞魄散，摇船人也抖作一团。次非问

yáo chuán rén guò qù mù chuán yào shi bèi è jiāo chán
摇船人：“过去木船要是被恶蛟缠

zhù chuán shang de rén hái néng bu néng
住，船上的人还能不能

huó mìng yáo chuán
活命？”摇船

rén xià de yí ge
人吓得一个

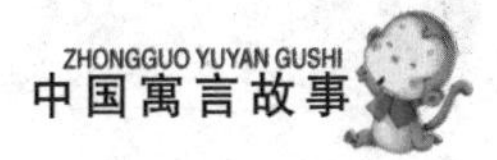

劲儿摇头：“碰上这两条恶蛟的船，没有听说能幸免的。”次非“唰”地抽出宝剑，坚定地说：“我定要叫这两条恶蛟变成江底的一堆腐肉朽骨！如果我放下武器，爱惜自己的生命，那么，我活在世上还有什么价值呢？”说罢，便纵身跃入波涛，跟恶蛟拼死搏斗，终于斩杀双蛟。风平了，浪静了，次非又回到了船上，他用忘我的牺牲精神和高强的本领拯救了全船人的生命。

次非不畏强暴，勇于和恶势力做抗争，最终拯救了大家。这告诉我们遇到危难时，决不能贪生怕死、畏缩退却，而应该不畏强暴、敢于斗争，去争取最后的胜利和大家的幸福。

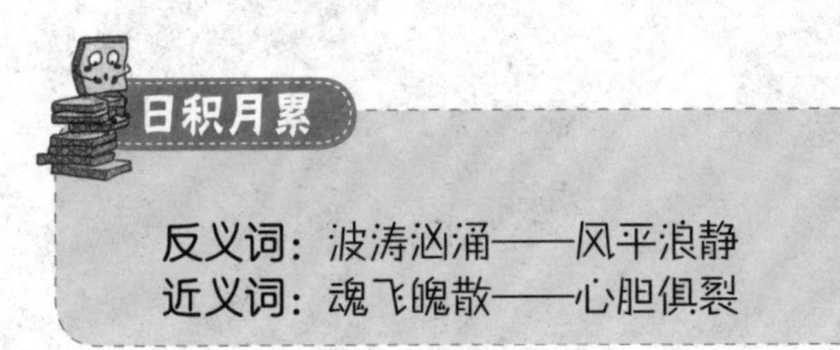

反义词：波涛汹涌——风平浪静
近义词：魂飞魄散——心胆俱裂

和氏之璧

楚国人和氏，在楚山上得到一块未经**雕琢**的玉石，凭着多年的经验，他知道石头中间是一块价值连城的宝玉。他捧着玉石去献给楚厉王，厉王让玉匠鉴别，玉匠说那是一块普通的石头。厉王十分生气，下令砍掉了和氏的左脚。厉王死后，武王继位。

和氏又捧着玉石去献给武王，武王手下的玉匠依然一口咬定那是块普通的石头。武王又下令砍掉了和氏的右脚。武王死后，文王登位。和氏抱着那块玉石在楚山脚下号啕大哭，哭了三天三夜，眼泪流干了，滴出了血。

文王听说这件事后，就派人去问和氏痛哭的原因。和氏说：“我不是为被砍去了双脚而伤心，我只恨乾坤颠倒，黑白**混淆**，宝石被说成石头，忠诚被诬为欺诈，这才是最令人痛心的啊！”

文王吩咐玉匠把和氏奉献的玉石凿开来验看，发现里面果然是一块上好的宝玉。后来，世人就把这块宝玉称为“和氏之璧”。

阅读心得

和氏坚持事实，不怕被砍去双脚，甚至不怕被杀头，体现了非常可贵的品格。这种品格最终使文王作出了合乎事实的结论，恢复了和氏的名誉，并使宝玉得见天日。这告诉我们在磨难面前，应该勇于坚持真理。

狐假虎威

老虎是森林中的霸王，野兽们都怕它，看见它就躲得远远的。一天，老虎逮住一只狐狸，正要下口，狐狸说话了："你竟敢吃我？你知道不知道，我是玉皇大帝派来管理森林中野兽的百兽之长。今天你要是吃了我，你就**违背**了玉皇大帝的天命！"老虎从鼻子里哼了一声，心想："谁不知道我是百兽之王，今天怎么又冒出来一个百兽之长呢？"狐狸从老虎的表情看出它在怀疑，就说："你要是不

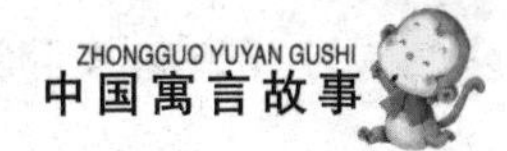

信，咱们就试试。我在前面走，你在后面瞧，看看森林中大大小小的野兽，有哪个见了我不逃跑的？”老虎想：“试试就试试，量你也逃不出我的掌心。”

于是，狐狸在前，老虎在后，向着森林深处走去。狐狸知道老虎就在背后，不用担心别的野兽会来偷袭，就故意摆出一副不可一世的架势，大摇大摆地走着。果然，小兔子、小猴子吓得没命地逃了，野猪和恶狼撒腿溜了，就连凶猛的金钱豹和独角犀牛也远远地躲进树丛里去了。狐狸更加神气了，胸脯挺得高高的，连肚子都腆起来了。傻里傻气的老虎还真信了，对狐狸佩服得**五体投地**。它做梦也没想到，大大小小的野兽见了它们没命地跑，根本不是怕狐狸，而是怕它自己。

阅读心得

狐狸凭自己的智谋逃出了虎口，并且依仗老虎的力量欺压小动物们，威风一时。可狐狸的诡计终归会有被拆穿的一天的。

糊涂的麋鹿

临江有个猎人捉到一只还在吃奶的小麋鹿。他十分爱怜这只温顺的小动物，决定抱回家中饲养。猎人刚跨进家门，十几条猎狗就一拥而上，目露凶光，口流涎水，想吃小麋鹿。猎人大怒，棒打脚踢，把猎狗狠狠地教训了一顿。为了培养狗和麋鹿之间的感情，猎人就每天抱着小麋鹿到狗群中去，让它们相互熟悉。只要哪只猎狗稍稍流露一点儿不良的意图，猎人立刻就把它毒打一顿。时间一久，小麋鹿跟这群猎狗混熟了。它们经常在一起玩耍，追逐打滚儿，十分亲

呢。这些猎狗虽然很想尝尝鲜嫩的鹿肉，但是惧怕主人的鞭子，只能把唾沫往肚子里咽。小麋鹿呢，仗着主人的保护，**得意忘形**，忘了狗是自己的天敌，反而把狗当成了好伙伴。

三年后的一天，小麋鹿自己跑到大门外去玩耍，它看见远处有一群狗在追逐**嬉闹**，立刻撒开四蹄跑进狗群，跟它们一起玩耍。这群狗发现了小麋鹿，立即“呼啦”一下猛扑了上去，把小麋鹿撕碎吃掉了，只剩下满地的污血和残毛。

可怜的小麋鹿到死也没有弄明白，为什么这些狗朋友一下子变成了凶残的敌人。

阅读心得

小麋鹿错误地把狗当成自己的朋友，最后惨死于“朋友”之手。这个悲剧告诉我们一个深刻的道理：看人看事，一定不要被假象迷惑，要深入观察、分析，准确地把握其实质，从而分清是、非、善、恶，采取正确的态度和处理方法。

画鬼最容易

有位画师替齐王画画儿。齐王问他："画什么东西最难？"画师回答："狗、马这一类最难画。"齐王又问："画什么最容易？"画师说："画妖魔鬼怪最容易。"齐王不明白。画师解释说："狗、马这些动物，人人都熟悉，天天都看见，画得有一丁点儿不

xiàng shuí dōu néng zhǐ chu lai zhì yú yāo mó guǐ guài nà jiù bù yí yàng le tā
像，谁都能指出来。至于妖魔鬼怪那就不一样了。它

men wú xíng wú yǐng shuí dōu méi jiàn guo rèn píng wǒ zěn me huà shuí yě shuō bu
们无形无影，谁都没见过，任凭我怎么画，谁也说不

chū wǒ huà de bú xiàng suǒ yǐ huà yāo mó guǐ guài zuì róng yì
出我画得不像，所以画妖魔鬼怪最容易。”

阅读心得

鬼之所以好画，是因为大家都没有见过。这则寓言故事虽短，说明的道理却很深刻：不着边际地胡言乱语很容易，老老实实地做事情却要付出大力气。但是，胡言乱语对社会只有害处，老老实实办事才是人生在世应持的正确态度。

想一想

为什么画师说妖魔鬼怪好画？

客套误事

于嗶子跟朋友坐在炉子跟前烤火。朋友专心看书，长衫的下摆被火烤着了也没有发觉。于嗶子站起身来慢条斯理地抱拳作揖：“有一件事情想告诉您，但是，怕您发火伤了身体；想不告诉您吧，那又对朋友不负责任，太不应该。我思想斗争得十分厉害，请您答应我一定心平气和，决不发怒，我才敢奉告。”朋友被他严肃的神情弄得莫名其妙，就说：“你我是好朋友，还顾忌这么多干吗？有什么事情，您就说吧，

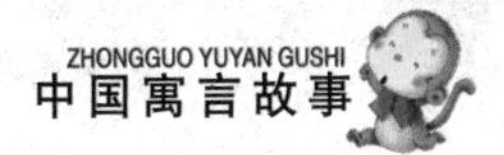

我一定虚心听取您的意见。”于啴子连连作揖，请朋友一定不要着急发火，朋友又再三作了保证，他才不紧不慢地说：“炉火把您的衣服烤着了，已经烧糊了好大一块儿。”朋友还没听完就跳了起来，一看，衣服的下半身全烧着了。他跳起来，脱下长衫，连摔带踩，把火熄灭，长衫已经被烧去一半。朋友的脸都气白了：“你怎么不早点儿告诉我？这样的事情还啰唆什么？”于啴子反而得了理：“你看，你看，刚才说好不急的，现在又发急了。真是江山易改，本性难移啊！”

这则故事讲了一个虚礼客套误事的典型例子。它告诉我们，虽然讲究文明礼貌是应该的，但是过分地客套和拘泥于礼节就会闹出笑话。在日常生活当中，我们应该坦率、真实，抛弃那些繁琐而虚伪的礼节。

lǎo shǔ chāng jué
老鼠猖獗

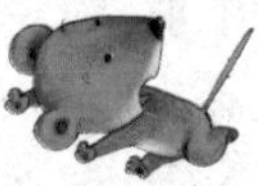

gǔ shí hou yǒng zhōu yǒu yí ge mí xìn sī xiǎng shí fēn yán zhòng de rén tā de
古时候永州有一个迷信思想十分严重的人。他的
shēng xiào shì shǔ jiù bǎ lǎo shǔ fèng wéi shén wù tā bú ràng jiā li rén yǎng māo
生肖是鼠，就把老鼠奉为神物。他不让家里人养猫、
dǎi shǔ rèn píng lǎo shǔ zài liáng cāng chú fáng héng xíng yú shì zhōu wéi de lǎo
逮鼠，任凭老鼠在粮仓、厨房横行。于是，周围的老
shǔ dōu bān dào tā zhè li lái ān jiā dà bái tiān lǎo shǔ chéng qún jié duì de zài
鼠都搬到他这里来安家。大白天，老鼠成群结队地在
wū zi li luàn cuàn sì wú jì dàn de zài zhǔ rén jiǎo xià zhuī zhú yè wǎn
屋子里乱窜，肆无忌惮地在主人脚下追逐；夜晚，

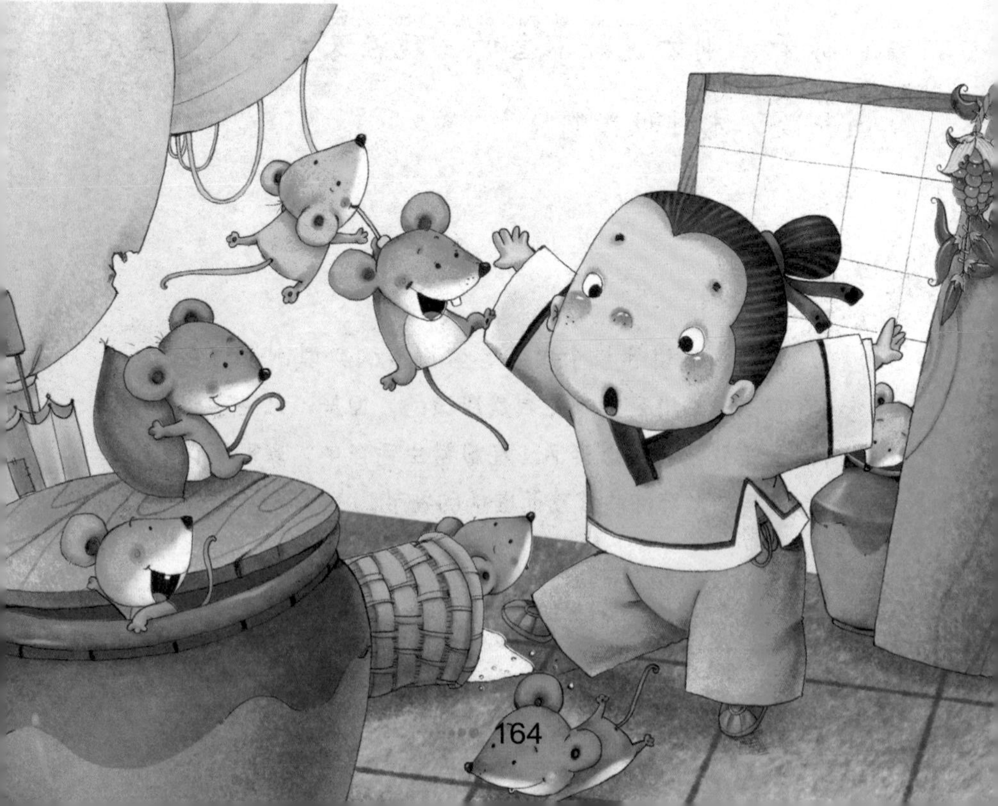

老鼠争食打架，吱吱怪叫，吵得人们无法入睡。他家的家具都被老鼠啃得**千疮百孔**，箱柜里的衣物也被咬成布屑碎片，就连全家人的一日三餐，也都是老鼠嘴下的剩饭残羹。但是，这个主人听之任之，严禁手下人捕捉老鼠。

几年以后，这家人搬到别的地方去住了。新来的主人看见老鼠猖獗的情景，简直惊呆了：“老鼠是最可恶的东西，怎么能听凭它猖狂到这等地步？”新主人借来五六只善于捕鼠的大猫，又雇了几个帮工，把所有的门窗全都封死，把屋顶的砖瓦全部揭开，看见鼠洞，先是烟熏，再是水灌，最后逐个堵死。结果捕杀的老鼠堆成了小山丘。人们把这些死鼠运到偏僻的地方，那腐烂的臭味过了几个月才散尽。

阅读心得

老鼠是害人的东西，不能因任何理由而包庇纵容、姑息养奸，否则，它们就会猖狂到不可收拾的地步。实际生活中，面对那些丑恶和虚伪的东西，我们一定要采取坚决有力的措施，把它们彻底消灭！

māo pà lǎo shǔ
猫怕老鼠

wèi guó yǒu ge xìng shù de, méi yǒu bié de shì hào, zhuān ài yǎng māo.
卫国有个姓束的，没有别的嗜好，专爱养猫。tā jiā yǎng le yì bǎi duō zhī dà dà xiǎo xiǎo、yán sè bù tóng de māo. zhè xiē māo
他家养了一百多只大大小小、颜色不同的猫。这些猫 xiān bǎ zì jǐ jiā de lǎo shǔ zhuō guāng le, hòu lái yòu bǎ zhōu wéi lín jū jiā de
先把自己家的老鼠捉光了，后来又把周围邻居家的 lǎo shǔ zhuō guāng le. māo méi chī de, è de miāo miāo zhí jiào. shù jiā jiù měi
老鼠捉光了。猫没吃的，饿得喵喵直叫。束家就每 tiān dào cài chǎng mǎi ròu wèi māo. jǐ nián guò qu le, lǎo māo shēng xiǎo māo, xiǎo
天到菜场买肉喂猫。几年过去了，老猫生小猫，小 māo yòu shēng xiǎo māo. zhè xiē hòu shēng de māo, yóu yú měi tiān chī guàn le xiàn chéng de
猫又生小猫。这些后生的猫，由于每天吃惯了现成的

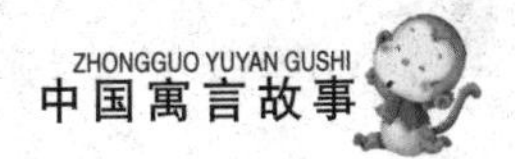

肉，饿了就叫，一叫就有肉吃，吃饱了就晒太阳、睡懒觉，竟不知道世界上还有老鼠和自己负有捕鼠的天职。

城南有户人家老鼠成灾。他们听说東家猫多，就借了一只猫回家逮老鼠。東家的猫看见地上那些乱窜的老鼠耸着两只小耳朵，瞪着两只小眼睛，翘着两撇小胡须，一个劲儿地吱吱乱叫，感到非常新鲜，又有点儿害怕，只是蹲在桌子上看，不敢跳下去捉。这家的主人看见猫这么不中用，气坏了，使劲儿把猫推了下去。猫害怕极了，吓得直叫。老鼠一见它那副傻样儿，估计它没有多大能耐，就一拥而上，有的啃猫的脚爪，有的咬猫的尾巴。猫又怕又疼，使劲儿一跳，逃跑了。

老鼠怕猫是正常现象，可是故事里安逸过度的猫反被老鼠吓跑。从这种反常现象中，我们可以悟出这样一个道理：对于优越的生活条件，我们如果不能正确对待，就会磨灭意志，减弱生活能力，最后变成一个又馋又懒又虚弱的废物。

nán yuán běi zhé
南辕北辙

cóng qián yǒu ge rén zhù zài tài háng shān yí dài tā dǎ suàn dào chǔ guó
从前有个人，住在太行山一带。他打算到楚国
qù chǔ guó zài nán fāng àn lǐ shuō yīng gāi xiàng nán zǒu kě shì tā yí zuò
去。楚国在南方，按理说，应该向南走，可是他一坐
shang chē jiù mìng lìng chē fū cháo běi jìn fā chē fū yáng qi biān zi mǎr sā kai
上车就命令车夫朝北进发。车夫扬起鞭子，马儿撒开
sì tí fēi yì bān de xiàng běi kuáng bēn
四蹄飞一般地向北**狂奔**。

lù shang tā pèng dào le shú rén shú rén wèn tā nín zhè shì shàng
路上，他碰到了熟人。熟人问他：“您这是上

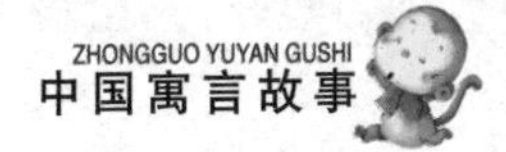

哪儿去啊？”“我要到楚国去。”“咦，楚国在南方，您为什么反而朝北走呢？”“没关系，我有一匹上等的好马，日行千里，夜走八百。”

“不管您的马跑得多快，朝北走，总不是到楚国去的路。”“没关系，我还准备了充足的旅费，走多远，也饿不着。”“旅费虽多也无济于事，朝北走，无论如何也不是去楚国的方向啊！”“没关系，我还有一个最出色的车夫，他赶起车来又稳又快，谁也比不上他。”说罢，他一声令下，车夫又扬鞭驱车朝北疾驶。他哪里想到，他的马跑得越快，他的路费越多，他车夫的技术越好，他离目的地——楚国——就越远。

走路要辨清方向，否则，永远也到不了目的地。我们学习和生活也要辨清方向，否则，不但自己取得不了任何成就，甚至还会对社会、对人民造成损害。

qǐ rén yōu tiān

杞人忧天

cóng qián yǒu ge xiǎo guó jiā jiào qǐ　qǐ guó yǒu yí ge rén　zhěng tiān hú

从前有个小国家叫杞。杞国有一个人，整天胡

sī luàn xiǎng　yí shén yí guǐ　tā yí huìr　dān xīn tiān huì bēng tā xia lai　zá

思乱想，疑神疑鬼。他一会儿担心天会崩塌下来，砸

biǎn tā de nǎo dai　yí huìr　dān xīn dì huì xiàn luò xia qu　mái zhù tā de quán

扁他的脑袋；一会儿担心地会陷落下去，埋住他的全

shēn　tā yuè xiǎng yuè hài pà　zhěng tiān yōu xīn chōng chōng　yǒu ge rè xīn rén kàn

身。他越想越害怕，整天忧心忡忡。有个热心人看

dào tā nà fù yōu chóu fán mèn de yàng zi　dān xīn tā bǎ shēn tǐ nòng huài le

到他那副忧愁烦闷的样子，担心他把身体弄坏了，

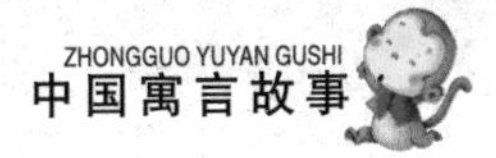

就开导他说："天不过是一股积聚的气体，上下四方到处都有。人的**一举一动**、一呼一吸都要和它接触。你整天在气体里活动，为什么还要担心它掉下来呢？"杞国人半信半疑地问："如果天真是一股积聚的气体，那么太阳、月亮和星星不就要掉下来了吗？""不会！"那个人回答，"太阳、月亮、星星也不过是气体中会发光的物质。就是掉下来，也不会伤人的。"杞国人又问："地要是塌下去怎么办呢？"热心人说："地不过是堆积起来的土块罢了。东南西北到处都有这样的土块。你根本不必担心它会塌陷下去。"杞国人听了，心里好像放下了千斤重担，脸上露出了笑容。那个热心人因为解除了杞国人的忧愁，也十分高兴。

阅读心得

担心蓝天会崩塌下来，害怕大地会陷落下去。这则寓言辛辣地讽刺了那些患得患失的人。我们绝不能做"现代的杞人"，而要胸怀大志，心境开阔。

黔驴技穷

据说古时候贵州没有驴子。有个商人从外地运进来一头驴子，但是贵州多山，驴子派不上用场，商人只好把驴子放到山下，听任它在那儿吃草。有一天，从山上下来一只老虎。贵州的老虎也从来没有见过驴子，突然看见这么个**庞然大物**，不禁大吃一惊，以为是什么神灵下凡。老虎慌忙躲进树丛，偷偷察看驴子的动静。

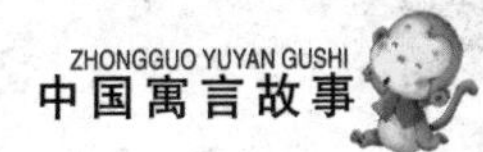

一天过去了，老虎没有看出驴子有什么特别不凡的地方。第二天，老虎**蹑手蹑脚**地走出树林，想到驴子跟前摸摸底细。还没有走上几步，猛听见驴子一声大吼，老虎吓得转身就逃。奔了一阵，老虎发现后面没有动静，又小心翼翼地踱了回来。慢慢儿地，老虎习惯了驴子的叫声，又壮着胆子向驴子靠近。它先用脚爪去挑逗，又用身子去碰撞。驴子恼羞成怒，尥蹶子向老虎踢去。老虎侧侧身子就躲过去了，心里不禁一阵高兴：“原来这个家伙就这么点儿本事啊！”饿了一天一夜的老虎，大吼一声，猛扑过去，把驴子咬死，美餐了一顿，上山去了。

大驴子之所以会送命，是因为它虚有其表，没有真本事。贵州小老虎之所以能得胜，是因为它在貌似强大的对手面前，既不胆怯，又不莽撞，敢于斗争，善于斗争。生活中我们不能做大驴子，而应该做小老虎。

qióng hé shang hé fù hé shang
穷和尚和富和尚

sì chuān de biān yuǎn dì qū yǒu liǎng ge hé shang yí ge qióng yí ge fù
四川的边远地区有两个和尚，一个穷，一个富。
yǒu yì tiān qióng hé shang duì fù hé shang shuō wǒ xiǎng dào fó jiào shèng dì nán
有一天，穷和尚对富和尚说：“我想到佛教圣地南
hǎi qù cháo bài nǐ shuō xíng bu xíng fù hé shang wèn lái huí hǎo jǐ
海去朝拜，你说行不行？”富和尚问：“来回好几
qiān lǐ dì nǐ kào shén me qù ne qióng hé shang shuō wǒ zhǐ yào yǒu
千里地，你靠什么去呢？”穷和尚说：“我只要有
yí ge hē shuǐ de píng zi yí ge chī fàn de
一个喝水的瓶子，一个吃饭的
ní pén jiù xíng le fù hé shang tīng le hā
泥盆就行了。”富和尚听了哈

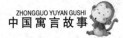

hā dà xiào shuō jǐ nián yǐ qián wǒ jiù xià jué xīn yào zū tiáo chuán
哈大笑，说：“几年以前，我就下决心要租条船

dào nán hǎi qù cháo bài dàn shì píng wǒ de tiáo jiàn dào xiàn zài hái méi néng
到南海去朝拜，但是凭我的条件，到现在还没能

bàn dào nǐ kào yí ge pò píng zi yí ge ní wǎ pén jiù yào dào nán hǎi
办到。你靠一个破瓶子、一个泥瓦盆就要到南海

qù zhēn shì bái rì zuò mèng
去？真是白日做梦！”

yì nián yǐ hòu fù hé shang hái zài wèi zū lìn chuán zhī chóu qián qióng
一年以后，富和尚还在为租赁船只筹钱，穷

hé shang què yǐ jīng cóng nán hǎi cháo bài huí lai le
和尚却已经从南海朝拜回来了。

富和尚“常立志”，只是立在口头上；穷和尚“立长志”，却是踏踏实实地立在行动上。正是这一点造成了他们之间的差别。所以说客观条件要靠主观努力去创造。怕苦怕累，空谈坐等，是什么事情也办不成的。

成语

白日做梦

若石惨死

从前有个人叫若石，隐居在冥山的北面。他发现有一只老虎常常在他家周围出没。若石就领着家里人日夜警戒：天刚亮就敲响铜锣，天一黑就点燃火堆，夜里还派人轮流敲着梆子守夜。他还在住宅周围插上荆棘，筑起高墙，挖掘壕沟，严密防范。就这样，平安无事地过了一年，那只老虎连他家的小鸡也没叼去一只。

后来，若石听说那只老虎摔死了，高兴极了，以为从此太平无事。铜锣不敲了，火堆不烧了；高墙塌了也不修，篱笆破了

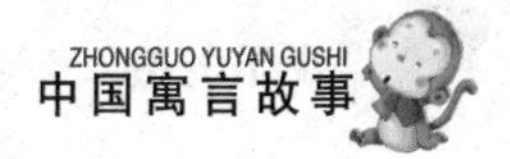

yě bù bǔ méi guò duō jiǔ yǒu yì zhī xiàng láng yí yàng de yě shòu zhuī bǔ yì zhī
也不补。没过多久，有一只像狼一样的野兽追捕一只

mí lù bēn dào tā de zhù zhái biān zhè zhī yě shòu tīng xiàn yuàn zi li yǒu zhū
麋鹿，奔到他的住宅边。这只野兽听见院子里有猪、

yáng de jiào shēng jiù shě le mí lù cóng lí ba de pò dòng li zuān jin lai
羊的叫声，就舍了麋鹿，从篱笆的破洞里钻进来，

cuàn rù le yáng juàn yáng de āi jiào shēng jīng dòng le ruò shí tā lián máng cóng wū
窜入了羊圈。羊的哀叫声惊动了若石，他连忙从屋

li pǎo chu lai yāo he qū gǎn nà zhī yě shòu gēn běn bù lǐ yī jiù sī
里跑出来，吆喝驱赶。那只野兽根本不理，依旧撕

yǎo juàn zhōng de féi yáng ruò shí jiǎn le yí kuài shí tou zá qu nà zhī yě shòu zhuǎn
咬圈中的肥羊。若石拣了一块石头砸去，那只野兽转

guo shēn tū rán xiàng rén yí yàng de zhàn lì qi lai zhāng yá wǔ zhǎo de pū xiàng ruò
过身，突然像人一样地站立起来，张牙舞爪地扑向若

shí bǎ tā yǎo sǐ le
石，把他咬死了。

故事中的若石生于忧患，死于安乐。这告诉我们，只要保持高度警惕，常备不懈，再凶恶的敌人也无机可乘；如果麻痹大意，就会被敌人钻空子，造成严重的损失。

排比句

铜锣不敲了，火堆不烧了；高墙塌了也不修，篱笆破了也不补。

守株待兔

宋国有个农民正在田里翻土。突然，他看见有一只野兔从旁边的草丛里慌慌张张地蹿出来，一头撞在田边的树上，便倒在那儿一动也不动了。农民走过去一看：兔子死了。因为它奔跑的速度太快，把脖子都撞折了。农民高兴极了，他一点儿力气没花，就白捡了一只又肥又大的野兔。他心想："要是天天都能捡到野兔，日子就好过了。"从此，他再也不肯出力气种地了。每天，他把

chú tou fàng zài shēn biān jiù tǎng zài shù xia děng dài zhe dì èr zhī dì
锄头放在身边，就躺在树下，等待着第二只、第

sān zhī yě tù zì jǐ zhuàng dào zhè shù shang shì shàng nǎ yǒu nà me duō pián yi
三只野兔自己撞到这树上。世上哪有那么多便宜

shì a nóng mín dāng rán méi yǒu zài jiǎn dào zhuàng sǐ de yě tù ér tā de
事啊！农民当然没有再捡到撞死的野兔，而他的

tián dì què huāng wú le
田地却荒芜了。

兔子自己撞死在树上只是个偶然，而宋国那个农民却把它误认为是必然现象，最后落得个田园荒芜、一无所获。这告诉我们：不靠自己勤勤恳恳的劳动，而想靠碰好运过日子，是不会有好结果的。

读一读 写一写

慌慌张张 ………… …………

又肥又大 ………… …………

yè gōng hào lóng 叶公好龙

cóng qián yǒu wèi yè gōng, tè bié xǐ huan lóng. tā wū nèi de liáng、zhù、mén、chuāng, dōu qǐng qiǎo jiàng diāo kè shang lóng wén, xuě bái de qiáng shang yě qǐng gōng jiàng huà le yì tiáo tiáo jù lóng, shèn zhì tā jiā suǒ yǒu rén chuān de yī fu、gài de bèi zi、guà de wén zhàng shang yě dōu xiù shang le huó líng huó xiàn de jīn lóng. fāng yuán jǐ bǎi lǐ dōu zhī dào yè gōng hào lóng. tiān shàng de

从前有位叶公，特别喜欢龙。他屋内的梁、柱、门、窗，都请巧匠雕刻上龙纹，雪白的墙上也请工匠画了一条条巨龙，甚至他家所有人穿的衣服、盖的被子、挂的蚊帐上也都绣上了**活灵活现**的金龙。方圆几百里都知道叶公好龙。天上的

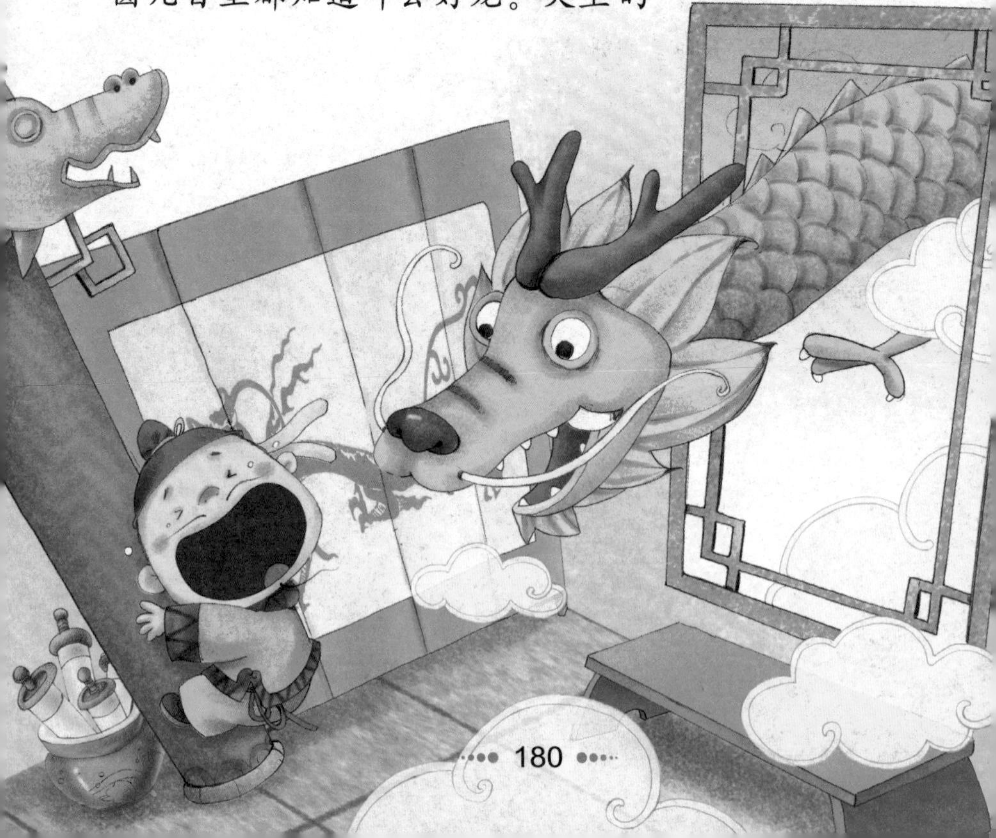

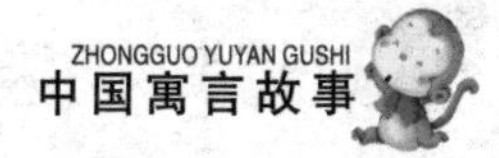

真龙听说以后，很受**感动**，亲自下来探望叶公。巨龙把身子盘在叶公家客堂的柱子上，尾巴拖在方砖地上，头从窗户伸进了叶公的书房。叶公一见真龙，登时吓得面色苍白，爬到柱子上，哇哇大叫。

阅读心得

口上说喜欢龙，真的见到龙却被吓得半死，这怎么算得上是真的喜欢龙呢？生活中就有很多这样的情况，所以我们识别一个人，不是看他的外在，而是要看他的实际行动。

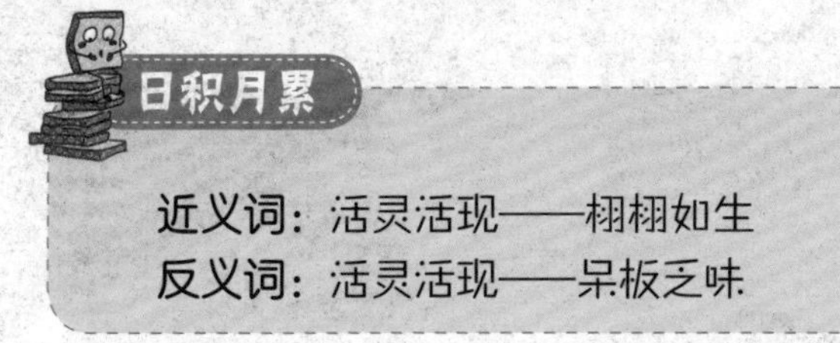

日积月累

近义词：活灵活现——栩栩如生
反义词：活灵活现——呆板乏味

yí rén tōu fǔ
疑人偷斧

cóngqián yǒu ge rén diū le yì bǎ fǔ zi tā huái yí shì lín jū jiā de
从前，有个人丢了一把斧子。他怀疑是邻居家的

hái zi tōu de jiù àn àn de zhù yì nà ge hái zi tā kàn nà ge hái zi zǒu
孩子偷的，就暗暗地注意那个孩子。他看那个孩子走

lù de zī shì xiàng shì tōu le fǔ zi de yàng zi tā guān chá nà ge hái zi
路的姿势，像是偷了斧子的样子；他观察那个孩子

de shén sè yě xiàng shì tōu le fǔ zi de yàng zi tā tīng nà ge hái zi shuō huà
的神色，也像是偷了斧子的样子；他听那个孩子说话

de yǔ qì gèng xiàng shì tōu le fǔ zi de yàng
的语气，更像是偷了斧子的样

zi zǒng zhī zài tā de yǎn jing li nà
子。总之，在他的眼睛里，那

ge hái zi de yì jǔ yí dòng dōu xiàng shì tōu fǔ
个孩子的一举一动都像是偷斧

zi de guò le jǐ tiān tā zài páo tǔ kēng de shí hou zhǎo dào le nà bǎ fǔ
子的。过了几天，他在刨土坑的时候，找到了那把斧

zi yuán lái shì tā zì jǐ yí wàng zài tǔ kēng li le cóng cǐ yǐ hòu tā
子。原来是他自己**遗忘**在土坑里了。从此以后，他

zài kàn lín jū jiā nà ge hái zi yì jǔ yí dòng sī háo yě bú xiàng tōu guo fǔ
再看邻居家那个孩子，一举一动丝毫也不像偷过斧

zi de yàng zi le
子的样子了。

邻居家孩子的言谈举止并没有变化，但在丢斧人眼里却前后判若两人。这则寓言故事告诉我们，成见是人们形成正确认识的大敌。准确的判断来源于对客观事实的调查，而不是主观的猜想。

想一想

这个人为什么总是觉得邻居家的孩子偷了他的斧子？

yǔ hú móu pí

与狐谋皮

cóng qián zhōu guó yǒu ge rén tè bié xǐ ài míng guì de pí huò hé jīng měi de
从前，周国有个人特别喜爱名贵的皮货和精美的
shí pǐn wèi le zuò yí jiàn jià zhí qiān jīn de pí páo tā qù gēn hú li shāng
食品。为了做一件价值千金的皮袍，他去跟狐狸商
liang nǐ men zhōng jiān shuí zhǎng de zuì dà shuí de máo zuì cháng zuì ruǎn jiù
量：“你们中间谁长得最大，谁的毛最长最软，就
ràng wǒ bǎ shuí de pí bāo xia lai zuò pí páo ba hú li men tīng le tā de yāo
让我把谁的皮剥下来做皮袍吧。”狐狸们听了他的要
qiú yí liù yānr de dōu táo jin le shēn shān wèi le
求，一溜烟儿地都逃进了深山。为了
bàn yì zhuō fēng shèng de jì pǐn tā qù gēn shān
办一桌**丰盛**的祭品，他去跟山
yáng shāng liang nǐ men zhōng jiān shuí
羊商量：“你们中间谁
zhǎng de zuì féi ròu zhì zuì
长得最肥，肉质最
xì nèn jiù ràng wǒ zǎi
细嫩，就让我宰

了谁做一桌祭品吧。”山羊们听了他的要求，一窝蜂似的都躲进了密林。就这样，这个周国人五年没能办成一桌祭品，十年没能制成一件皮袍。

阅读心得

要剥狐狸的皮，要吃山羊的肉，却去跟狐狸、山羊商量，希望征得它们的同意。这种做法既可笑又愚蠢。这个故事告诉我们，当所办的事情会损害对方根本利益的时候，对方是绝对不会同意的。

好句积累卡

比喻句

山羊们听了他的要求，一窝蜂似的都躲进了密林。

鹬蚌相争

有一天，一只大蚌慢慢儿地爬上了河滩，张开两扇椭圆形的蚌壳，**舒舒服服**地躺在那里晒太阳。这时候，一只鹬正顺着河沿觅食。它那又尖又长的利嘴，一会儿啄住一条小鱼，一会儿吞下一只水虫。当它看到大蚌**裸露**的嫩肉时，它馋极了，用尖嘴猛地啄去。大蚌遭到突然袭击，吃了一惊，“啪”的一声合拢介壳，像一把铁钳紧紧夹住了鹬的尖嘴巴。鹬

sǐ sǐ de yǎo zhù bàng ròu, dà bàng jǐn jǐn de qián zhe yù zuǐ, shuí yě bù kěn sōng
死死地咬住蚌肉，大蚌紧紧地钳着鹬嘴，谁也不肯松

kǒu. yù niǎo wēi xié shuō: "jīn tiān bú xià yǔ, míng tiān bú xià yǔ, nǐ jiù
口。鹬鸟威胁说：“今天不下雨，明天不下雨，你就

huì gān sǐ zài hé tān shang!" dà bàng yě bú shì ruò, huí jī shuō: "nǐ de
会干死在河滩上！”大蚌也不示弱，回击说：“你的

zuǐ jīn tiān bá bu chū lái, míng tiān bá bu chū lái, nǐ jiù huì è sǐ zài hé tān
嘴今天拔不出来，明天拔不出来，你就会饿死在河滩

shang!" yù hé dà bàng jiù zhè yàng nǐ yǎo zhe wǒ, wǒ qián zhù nǐ, shuí yě bù
上！”鹬和大蚌就这样你咬着我，我钳住你，谁也不

kěn xiāng ràng, shuí yě méi fǎ jiě tuō. zhè shí hou, yǒu yí ge yú wēng lái dào hé
肯相让，谁也没法解脱。这时候，有一个渔翁来到河

tān, kàn jiàn yù bàng xiāng zhēng de chǎng miàn, jiù háo bú fèi lì de bǎ yù hé dà
滩，看见鹬蚌相争的场面，就毫不费力地把鹬和大

bàng yì qǐ zhuō zǒu le.
蚌一起捉走了。

鹬蚌相争的结果只能是让渔翁得利。这则寓言告诉我们：大敌当前，弱小者之间要联合起来，消除矛盾，团结一致，共同对付敌人。处理内部事务也是这样，局部利益要服从整体利益，眼前利益要服从长远利益。

形容词

舒舒服服

zài pá yì huí
再爬一回

cóng qián yǒu ge rén xiàng lái jiǎ rén jiǎ yì zǒng bǎ zì jǐ bàn chéng zuì
从前有个人，向来假仁假义，总把自己扮成最
cí bēi de shàn rén yǒu yì tiān tā zhuō dào yì zhī jiǎ yú yǒu xīn zhǔ shú le
慈悲的善人。有一天，他捉到一只甲鱼，有心煮熟了
chī ròu hē tāng zī bǔ shēn tǐ dàn yòu bú yuàn yì luò ge shā shēng de è míng
吃肉喝汤，滋补身体，但又不愿意落个杀生的恶名。
tā bèi zhe shǒu zhuàn le jǐ quān xiǎng chu le yí ge fǎ zi tā xiān yòng měng huǒ
他背着手转了几圈，想出了一个法子。他先用猛火
bǎ guō li de shuǐ shāo de gǔn kāi rán hòu zài shuǐ miàn shang héng gē yì gēn xì zhú
把锅里的水烧得滚开，然后在水面上横搁一根细竹
gùnr dàng zuò qiáo tā duì jiǎ yú shuō zán men jiǎng
棍儿当作桥。他对甲鱼说：“咱们讲

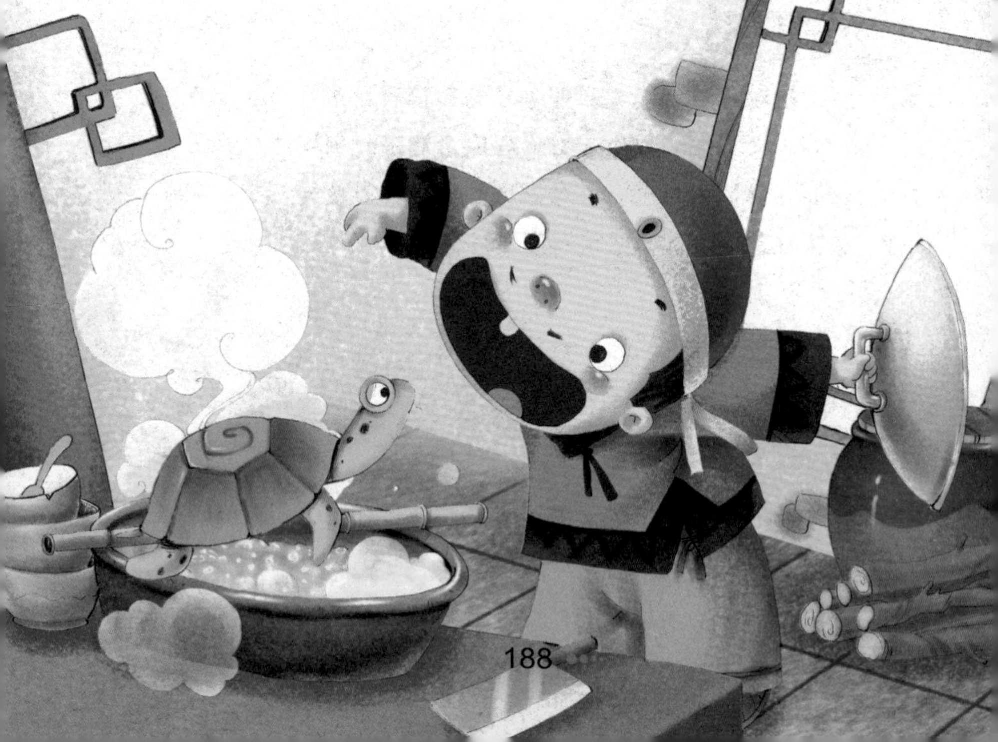

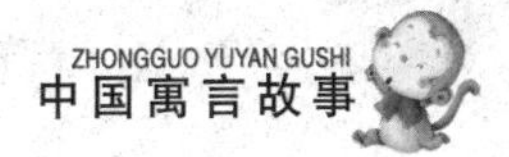

hǎo tiáo jiàn nǐ rú guǒ néng pá guo zhè zuò zhú qiáo wǒ jiù bǎ nǐ fàng hui hé
好条件：你如果能爬过这座竹桥，我就把你放回河

li jiǎ yú zhī dào tā de yòng xīn dàn wèi le huó mìng hái shi mào zhe gāo
里。”甲鱼知道他的用心，但为了活命，还是冒着高

wēn fèi jìn lì qi jí qí miǎn qiǎng de pá le guò qù zhè ge rén shuō
温，费尽力气，极其勉强地爬了过去。这个人说：

hǎo jí le nǐ zhēn yǒu běn shi kàn nǐ pá qiáo jiù xiàng kàn zá jì jié mù
“好极了！你真有本事，看你爬桥，就像看杂技节目

yí yàng jiǎn zhí shì yì zhǒng yì shù xiǎng shòu wǒ hái xiǎng xīn shǎng nǐ zài pá
一样，简直是一种艺术享受。我还想**欣赏**，你再爬

yì huí ba
一回吧！”

阅读心得

明明想把甲鱼吃了，却还要装慈悲，表现出一副不忍的样子。这则寓言告诉我们，对于那种干了坏事还要用花言巧语来遮掩自己、欺骗受害者的人，要特别警惕，因为他们比明火执仗的坏人更加阴险，更为毒辣。

读一读 写一写

假仁假义 ……………… ………………

zhé jiàn xùn zǐ
折箭训子

nán cháo shí hou shǎo shù mín zú tǔ yù hún de shǒu lǐng ā chái yǒu èr shí ge
南朝时候，少数民族吐谷浑的首领阿豺有二十个

ér zi yǒu yì tiān ā chái duì tā men shuō nǐ men měi rén gěi wǒ ná yì
儿子。有一天，阿豺对他们说：“你们每人给我拿一

zhī jiàn lai ér zi men měi rén fèng shang yì zhī jiàn ā chái dāng zhe tā men
支箭来。”儿子们每人奉上一支箭。阿豺当着他们

de miàn bǎ èr shí zhī jiàn yī yī zhé duàn rēng dào dì xia rán hòu yòu ràng ér zi
的面把二十支箭一一折断，扔到地下。然后又让儿子

men měi rén ná yì zhī jiàn gěi shū shu mù lì yán tā jiào mù lì yán xiān ná yì zhī
们每人拿一支箭给叔叔慕利延，他叫慕利延先拿一支

箭，把它折断。慕利延拿起一支箭毫不费力地折为两截。阿豺又说：“你把剩下来的十九支箭握成一把，一起折断。”慕利延用尽全身的力气都没能折断。阿豺指着这一把箭对儿子们说：“你们明白了吗？一支箭是容易被折断的，一把箭就很难被折断，只有大家齐心协力，我们的部落才能富强！”

一支箭很容易被折断，可是如果二十支握在一起就很难被折断了。这个故事告诉我们团结就是力量，即使是十分弱小的东西，如果团结起来，也能形成一股巨大的、不可战胜的力量。

照样子　写句子

只有大家齐心协力，我们的部落才能富强！

只有＿＿＿＿＿＿＿＿，才＿＿＿＿＿＿＿＿。

zhèng rén chéngliáng
郑人乘凉

zhèngguó yǒu ge rén zuò zài yì kē dà shù dǐ xia chéng liáng tài yáng zài
郑国有个人坐在一棵大树底下乘凉。太阳在
yùn xíng shù yǐng zài yí dòng tā yě zài bú duàn de nuó dòng wèi zhì miǎn
运行，树影在移动，他也在不断地挪动位置，免
de bèi tài yáng shài zháo dào le wǎn shang yuè liang cóng dōng bian shēng qi lai màn
得被太阳晒着。到了晚上，月亮从东边升起来，慢
mānr de xiàng xī bian yùn xíng shù yǐng yě suí zhe huǎn huǎn yí dòng zhè ge zhèng
慢儿地向西边运行，树影也随着缓缓移动。这个郑
guó rén hái xiàng bái tiān yí yàng bú duàn de nuó dòng wèi zhì tǎng dào shù yǐng
国人还像白天一样，不断地挪动位置，躺到树影

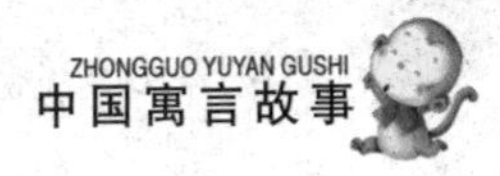

xià miàn jié guǒ tā de yī fu quán bèi lù shui dǎ shī le
下面。结果，他的衣服全被露水打湿了。

阅读心得

郑人用避暑的办法去对待夜间的露水，当然不能达到预期的目的。我们一定要明白，客观世界是在不断运动、发展、变化的，所以我们也一定要认识并适应这种发展变化，不能墨守成规，否则必然会受到客观规律的惩罚。

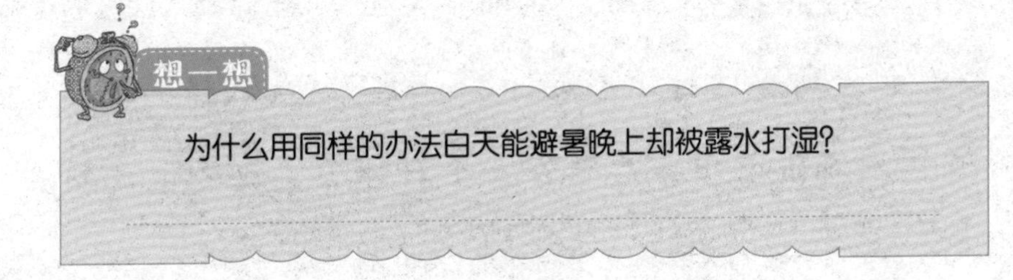

想一想

为什么用同样的办法白天能避暑晚上却被露水打湿?

zhèng rén mǎi xié
郑人买鞋

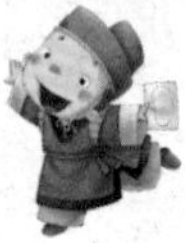

cóng qián yǒu ge zhèng guó rén xiǎng mǎi yì shuāng xié tā pà mǎi de bù hé
从前有个郑国人想买一双鞋。他怕买得不合
shì jiù xiān zài jiā li bǐ zhào jiǎo de dà xiǎo kuān zhǎi jiǎn le yì zhāng zhǐ yàng zhè
适，就先在家里比照脚的大小宽窄剪了一张纸样。这
ge zhèng guó rén zǒu le shí jǐ lǐ lù dào le jí shì shang nà tiān shì dà jí gǎn
个郑国人走了十几里路到了集市上。那天是大集，赶
jí de rén xī xī rǎng rǎng fèn wài rè nao jí shang mài xié de shāng fàn yě bù
集的人**熙熙攘攘**，分外热闹。集上卖鞋的商贩也不
shǎo dàn shì suǒ mài de xié zi bú shì liào zi bù hǎo jiù shì shì yàng bù xīn
少，但是所卖的鞋子不是料子不好，就是式样不新，
zhèng guó rén dōu méi kàn zhòng hòu lái zài yí ge xié tān shang tā zhōng yú kàn dào
郑国人都没看中。后来在一个鞋摊上，他终于看到
le yì shuāng kě xīn de xié zi tā wǎng dōu li yì
了一双可心的鞋子。他往兜里一
mō zāo le zhǐ yàng wàng zài jiā li
摸，糟了，纸样忘在家里
le zhèng guó rén lián pǎo dài
了。郑国人连跑带
diān huí dào jiā zhōng qǔ le
颠回到家中，取了

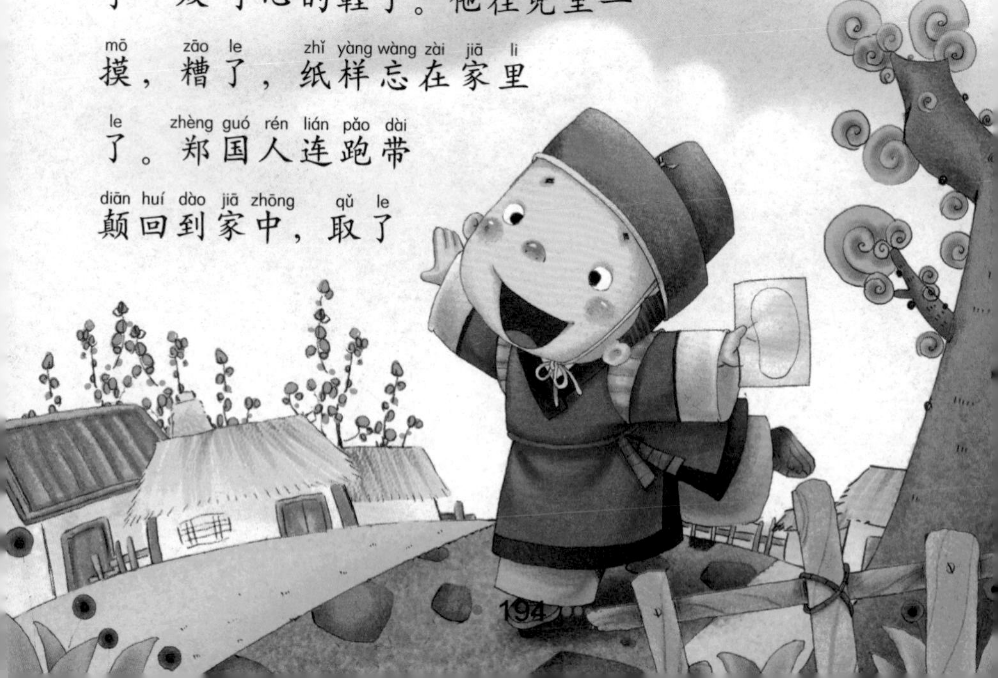

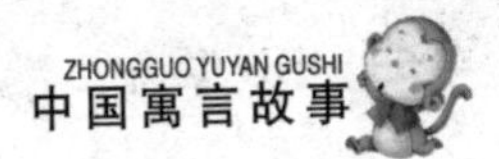

纸样，又呼哧呼哧赶回集市。但是，集市早就散了，他白白来回赶了几十里路，还是没有买到鞋子。事后有人问他：“你用自己的脚比比大小不就行了吗？”他却一本正经地说：“我宁愿相信纸样，也不相信我自己的脚！”

宁愿相信根据自己的脚剪出来的纸样，也不相信自己的脚，这真是一个绝妙的讽刺！它告诉我们在实际生活当中，千万不能墨守教条、盲信本本，不看也不信活生生的现实。这样的思想和行为，只会让自己陷入尴尬的境地。

照样子 写句子

我宁愿相信纸样，也不相信我自己的脚！

宁愿＿＿＿＿＿＿，也不＿＿＿＿＿＿。

狂泉

从前有一个国家，一国的人都得了癫狂病，整天闹啊，叫啊，干一些荒唐至极的事。这是为什么呢？原来这个国家有一眼叫作“狂泉”的井，谁要是喝了那里的水，立刻就会变得癫狂起来。而这一国的人除国君外，全都喝“狂泉”的水，所以一个个都疯疯癫癫的。

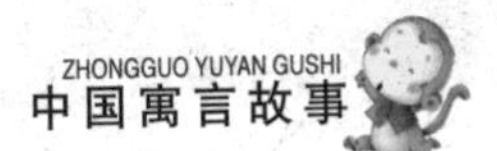

这个国家的国君之所以没有得癫狂病，是因为国君另有一口专供他一个人饮用的水井。在得了癫狂病的人眼里，无病的国君与众不同的样子倒成了一种病态。因此他们商量好，大家一起动手给国君治“病”。这些人轮番给国君拔火罐、用针灸、熏艾蒿、服草药，能用的办法全用上了。国君实在不堪忍受这种折磨，只好到“狂泉”去饮水。

国君喝了“狂泉”的水以后，马上就得了癫狂病，也变成了疯子。于是，这个国家从上到下，无论国君还是臣民，都一样癫狂；无论大人还是小孩儿，都一样荒谬。所有的人都一样疯疯癫癫，这样，大家反而都高高兴兴、**心安理得**了。

《狂泉》只不过是一个假想的故事。不过，它却告诉我们：在举国上下只流行一种荒诞的意识、只贯彻一种虚伪做法的情况下，一个有健康头脑和正常行为的人，要想在颠倒黑白的环境里坚持公正的原则，的确是极其困难的。

亡羊补牢

战国时楚襄王即位后，奸臣当道，政治腐败，国家一天天地衰落下去。大臣庄辛看到楚襄王确已有悔过之心，便给他讲了个故事：

从前，有个人养了一圈羊。一天早晨，他发现少了一只羊，仔细一查，原来羊圈破了个窟窿，狼在夜间钻进来，把羊叼走了一只。邻居劝他说：“赶快把羊圈修一修，堵上窟窿吧！”那个人不肯接受劝告，回答说：“羊已经丢了，还修羊圈干什么？”

第二天早上，他发现羊又少了一只。原来，狼又从

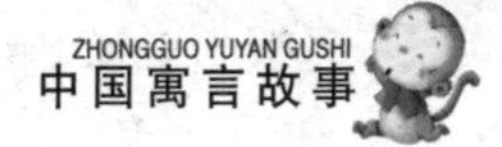

窟窿中钻进来，叼走了一只羊。他很后悔自己没有听从邻居的劝告，便赶快堵上窟窿，修好了羊圈。从此，狼再也不能钻进羊圈叼羊了。

庄辛又给楚襄王分析了楚国当前的形势。虽然都城陷落，但还有方圆几千里国土尚存。只要改正过错，励精图治，为百姓解忧，那百姓就会又有依附之心，很快就会把秦军赶出楚国。楚襄王依言行事，果然打败秦国，度过了危机，楚国也逐渐强盛起来。

出了差错应该及时设法补救，免得再受损失。只要能吸取教训，就还有希望。

yú gōng yí shān
愚公移山

hěn jiǔ yǐ qián, zài jì zhōu nán bian hé huáng hé běi àn de běi bian yǒu liǎng zuò shān: tài háng shān hé wáng wū shān。liǎng shān fāng yuán qī bǎi lǐ, gāo rù yún xiāo。
很久以前，在冀州南边和黄河北岸的北边有两座山：太行山和王屋山。两山方圆七百里，高入云霄。

yǒu yí wèi jiào yú gōng de lǎo rén, nián jìn jiǔ shí suì, miàn duì zhe zhè liǎng zuò shān zhù zhe。měi dāng tā yào dào shān de duì miàn qù shí, yóu yú zhè liǎng zuò shān de zǔ gé, zǒng shì fēi cháng bù fāng biàn。yú gōng yīn cǐ gǎn dào shí fēn kǔ nǎo, biàn zhào jí jiā rén, duì tā men shuō:
有一位叫愚公的老人，年近九十岁，面对着这两座山住着。每当他要到山的对面去时，由于这两座山的**阻隔**，总是非常不方便。愚公因此感到十分苦恼，便召集家人，对他们说：

nǐ men hé wǒ yì qǐ bǎ zhè liǎng zuò shān chǎn píng rú hé? zhè yàng, cái néng yǒu yì tiáo dào lù, kě ràng wǒ men tōng xíng wú zǔ。
“你们和我一起把这两座山铲平如何？这样，才能有一条道路，可让我们通行无阻。”

dà jiā tīng le, dōu hěn zàn chéng。yú shì, dà jiā biàn fēn tóu zhǎn kāi le yí shān de gōng zuò。
大家听了，都很赞成。于是，大家便分头展开了移山的工作。

yú gōng dài lǐng zhe zǐ sūn sān dài záo shí、wā tǔ, bìng bǎ wā xia lai de ní tǔ hé shí zǐ yòng běn jī zhuāng hǎo, yùn dào bó hǎi dào diào。
愚公带领着子孙三代凿石、挖土，并把挖下来的泥土和石子用畚箕装好，运到渤海倒掉。

zhěng gè gōng chéng xiāng dāng jiān jù、kùn nan。kě shì yú gōng què háo bú wèi
整个工程相当艰巨、困难。可是愚公却毫不畏

jù réng rán mǎn huái xìn
惧，仍然满怀信
xīn xīn qín de láo dòng
心，辛勤地劳动。

zhù zài huáng hé àn
住在黄河岸
biān de zhì sǒu tīng shuō
边的智叟，听说
le yú gōng yí shān de shì
了愚公移山的事
qing rěn bu zhù pěng fù
情，忍不住捧腹
dà xiào yǒu yì tiān
大笑。有一天，
zhì sǒu duì yú gōng shuō nǐ de jǔ dòng zhēn shì yú chǔn yě bù xiǎng xiang zì
智叟对愚公说：“你的举动真是**愚蠢**，也不想想自
jǐ yǐ jīng zhè me yí dà bǎ nián jì le xiàn zài cái xiǎng yào yí shān bù xián tài
己已经这么一大把年纪了，现在才想要移山，不嫌太
chí le ma
迟了吗？”

yú gōng tīng le chuǎn le yì kǒu qì shuō jiù suàn wǒ sǐ le wǒ
愚公听了，喘了一口气说：“就算我死了，我
de ér zi réng huì jì xù yí shān de gōng zuò ér zi yòu shēng le sūn zi sūn zi
的儿子仍会继续移山的工作，儿子又生了孙子，孙子
yòu shēng le ér zi zǐ zǐ sūn sūn wú qióng wú jìn shān què bú huì biàn gāo biàn
又生了儿子，子子孙孙**无穷无尽**，山却不会变高变
dà zǒng yǒu chǎn píng de yì tiān de
大，总有铲平的一天的。”

zhì sǒu tīng le wú huà huí dá zhǐ hǎo hěn cán kuì de zǒu le
智叟听了无话回答，只好很惭愧地走了。

bù jiǔ hǎi shén hé shān shén dōu zhī dào le zhè jiàn shì tā men yí zhì rèn
不久，海神和山神都知道了这件事，他们一致认
wéi yú gōng de xíng wéi shí zài jīng rén dōu hěn pèi fu yú gōng nà zhǒng chōng mǎn xìn
为愚公的行为实在惊人，都很佩服愚公那种充满信
xīn jiān chí dào dǐ de jīng shén
心、坚持到底的精神。

hǎi shén hé shān shén biàn jiāng cǐ shì bào gào gěi le tiān dì
海神和山神便将此事报告给了天帝。

tiān dì zhī dào hòu rèn wéi yú gōng shì ge liǎo bu qǐ de rén wù duì yú gōng
天帝知道后，认为愚公是个了不起的人物，对愚公
fēi cháng jìng pèi yú shì tiān dì jué dìng bāng zhù tā wán chéng yí shān de xīn yuàn
非常敬佩。于是，天帝决定帮助他完成移山的心愿。

tiān dì zhào huàn lai kuā é de liǎng ge ér zi jiào tā men jí kè dào rén jiān
天帝召唤来夸娥的两个儿子，叫他们即刻到人间
qù jiāng tài háng wáng wū liǎng zuò gāo shān yí zǒu
去，将太行、王屋两座高山移走。

kuā é shì de liǎng ge ér zi jiē dào tiān dì de mìng lìng yì diǎnr dōu bù
夸娥氏的两个儿子接到天帝的命令，一点儿都不
gǎn dài màn lì kè jiù dào le rén jiān
敢怠慢，立刻就到了人间。

tā men liǎng ge yí ge bēi zhe tài háng shān yí ge bēi zhe wáng wū
他们两个，一个背着太行山，一个背着王屋
shān jiāng tài háng shān gē zài shuò fāng dōng bù jiāng wáng wū shān fàng dào yōng zhōu
山，将太行山搁在朔方东部，将王屋山放到雍州
nán bian
南边。

zhè yǐ hòu cóng jì zhōu zhī nán zhí dào hàn shuǐ de nán àn zài yě méi
这以后，从冀州之南，直到汉水的南岸，再也没
yǒu rèn hé gāo shān zǔ gé ér qiě yǒu hǎo jǐ tiáo bǐ zhí píng tǎn de dà lù tōng
有任何高山阻隔，而且有好几条笔直、平坦的大路通
wǎng wài jiè rén men lái lái wǎng wǎng fēi cháng fāng biàn
往外界。人们来来往往非常方便。

夸娥氏的两个儿子回到天上，向天帝报告任务完成，天帝很高兴，重重地**赏赐**了他俩。天帝又召见了愚公，当面赞赏了他，并赐给他许多礼物。愚公万分感激地拜谢而归。

愚公并不愚蠢，他相信即使他死去，还会有无穷无尽的子子孙孙加入移山队伍，而山不会变高变大，所以总有一天会被铲平。这让我们明白，只要有恒心，有毅力，再苦再难的事情都会被解决。

jǐng dǐ zhī wā

井底之蛙

yǒu yì zhī qīng wā cháng nián zhù zài yì kǒu kū jǐng li tā duì zì jǐ shēng
有一只青蛙长年住在一口枯井里。它对自己生
huó de xiǎo tiān dì mǎn yì jí le yì yǒu jī hui jiù yào dāng zhòng chuī xū yì
活的小天地满意极了，一有机会就要当众吹嘘一
fān yǒu yì tiān tā chī bǎo le fàn dūn zài jǐng lán shang zhèng xián de wú
番。有一天，它吃饱了饭，蹲在井栏上正闲得无
liáo hū rán kàn jiàn bù yuǎn chù yǒu yì zhī dà hǎi guī zài sàn bù qīng wā gǎn
聊，忽然看见不远处有一只大海龟在散步，青蛙赶
jǐn chě kai sǎng ménr hǎn le qǐ lái wèi hǎi guī xiōng qǐng guò lai kuài
紧扯开嗓门儿喊了起来：“喂，海龟兄，请过来，快
qǐng guò lai hǎi guī pá dào kū jǐng páng biān qīng wā lì kè dǎ kāi le huà xiá
请过来！”海龟爬到枯井旁边，青蛙立刻打开了话匣

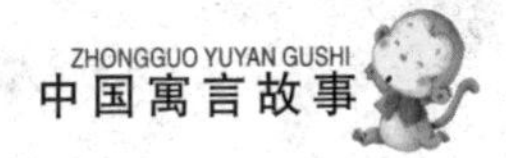

子：“今天算你运气了，我让你开开眼界，参观一下我的居室，那简直是一座天堂！你大概从来也没有见过这样宽敞的住所吧？”海龟探头往井里瞅瞅，只见浅浅的井底积了一汪长满绿苔的泥水，还闻到一股扑鼻的臭味，海龟皱了皱眉头，赶紧缩回了脑袋。青蛙根本没有注意海龟的表情，挺着大肚子继续吹嘘：“住在这儿，我舒服极了！傍晚可以跳到井栏上乘凉，深夜可以钻到井壁的窟窿里睡觉。泡在水里，让水浸着两腋，托住面颊，可以游泳；跳到泥里，让泥盖没脚背，埋住四足，可以打滚儿。那些跟头虫、螃蟹、蝌蚪什么的，哪一个能比得上我呢！”青蛙唾沫星儿四溅，越说越得意：“瞧，这一坑水，这一口井，都属于我一个人，我爱怎么样就怎么样，这样的乐趣可以算到顶了吧！海龟兄，你不想进去观光观光吗？”海龟感到**盛情难却**，便爬向井口，可是左腿还没能全部伸进去，右腿的膝盖就被井栏卡住了。海龟慢慢儿地退了回来，问青蛙：“你听说过

大海没有？”青蛙摇摇头。海龟说：“大海水天茫茫，无边无际。用千里不能形容它的辽阔，用万丈不能表明它的深度。传说四千多年以前，大禹做国君的时候，十年九涝，海水没有加深；三千多年以前，商汤统治的年代，八年七旱，海水也不见减少。海是这样大，以至时间的长短、旱涝的变化都不能使它的水量发生明显的变化。青蛙弟，我就生活在大海中。你看，比起你这一眼枯井、一坑浅水来，哪个天地更开阔，哪个乐趣更大呢？”青蛙听傻了，鼓着眼睛，半天**合不拢嘴**。

阅读心得

井里的青蛙自大地把自己的一个角落当作整个世界，却不知道海的无边无际。我们在实际生活中也要注意这一点，不能跟枯井里的青蛙一样，做孤陋寡闻、妄自尊大和安于现状的可怜人。

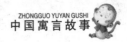

qí xuānwáng shè jiàn

齐宣王射箭

qí xuānwáng xǐ huan shè jiàn tè bié xǐ huan tīng rén kuā tā néng lā yìng gōng zuǒ yòu de suí cóng mō tòu le tā de pí qi zhuān tiāo hǎo tīng de zì yǎnr shuō shén me hòu yì zài shì la shén me tiě bì shén gōng la bǎ ge qí xuān wáng pěng de yūn yun hū hū lián dōng nán xī běi yě fēn bu qīng le yǒu yì tiān qí xuān wáng wèi le xiǎn shì zì jǐ gù yì ràng shǒu xià rén āi gèr shì lā tā de bǎo gōng

齐宣王喜欢射箭，特别喜欢听人夸他能拉硬弓。左右的随从摸透了他的脾气，专挑好听的字眼儿说，什么“后羿再世”啦，什么“铁臂神弓”啦，把个齐宣王捧得晕晕乎乎，连东南西北也分不清了。有一天，齐宣王为了显示自己，故意让手下人挨个儿试拉他的“宝弓”。

他的弓实际上不过三石（约一百八十斤）的力，手下人却装出种种丑态来讨好他：有的才拉开一小半，就又是鼓胸脯，又是喘大气；有的拉开一半，就连连伸胳膊蹬腿，说是闪了肩膀扭了腰啦。他们异口同声地说，齐宣王的“宝弓”没有九石（约五百四十斤）的力别想拉得开。齐宣王听了哈哈大笑，张大的嘴巴半天也合不拢。齐宣王用的不过是三石力的弓，但直到进棺材，他仍以为自己拉的是九石力的弓。

因为手下人的阿谀逢迎，明明拉的是三石力的弓，宣王却到死都以为自己拉的是九石力的弓，这是一个多么可悲且可笑的事实啊！不可否认，甜言蜜语的确是很有迷惑性的，因此我们在平时一定要提高警惕。

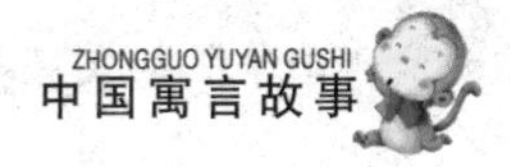

māo tóu yīng bān jiā
猫头鹰搬家

māo tóu yīng zhèng zài máng zhe shōu shi dōng xi bān jiū fēi lai le
猫头鹰正在忙着收拾东西，斑鸠飞来了。

māo tóu yīng lǎo xiōng nín zài máng shén me ne
“猫头鹰老兄，您在忙什么呢？”

bān jiā
“搬家。”

wǎng nǎr bān ne
“往哪儿搬呢？”

dōng xiāng
“东乡。”

“您在西乡住了多年，干吗往东乡搬呢？”

“西乡的人都**讨厌**我的叫声，我实在住不下去了。”

“老兄，依我说，关键是您得把叫声改得**悦耳**一点儿，或者干脆夜里就别叫了，要不，别说搬到东乡，搬到哪儿也招人讨厌！”

猫头鹰停下手中的活儿，认真思考起斑鸠的忠告。

西乡的人们讨厌猫头鹰的叫声，于是猫头鹰就想搬到东乡，可是东乡的人们就会喜欢它的叫声了吗？我们遇到类似的情况时也要想明白。当别人对自己有意见的时候，我们要学会从自身找原因，而不能一味埋怨客观环境。

想一想

猫头鹰搬了家就能解决问题吗？怎样才能彻底解决问题呢？

读《中国寓言故事》有感

李 亮

星期天，我读了《中国寓言故事》这本书，里面的寓言故事可多了：《掩耳盗铃》《南辕北辙》《拔苗助长》……其中我印象最深的要算《守株待兔》了。

从前，有一个宋国的农夫，以种田为生。有一天，那个农夫正在田里干活的时候，忽然看见一只兔子飞快地奔跑过来。那兔子慌不择路，竟然“砰”的一声撞在树上，折断了脖子，当场死了。农夫心里美极了。他捡起那只又肥又大的兔子回家了，和家人饱餐了一顿美味的兔肉。农夫心里想：“要是我每天都能捡到一只兔子的话，那我就不用那么辛苦地种田了。”于是他就天天坐在树旁等着捡撞死的兔子。日子一天天过去了，他一只兔子也没有捡到。因为他很久没种田了，地里已经长满了荒草。

读了这则寓言故事，我觉得我们小朋友可不能像这农夫一样。天上掉馅饼的事是不可能的，我们不管做什么事都要踏踏实实，认认真真，不能抱着侥幸心理。

这篇文章结构完整，思路清晰，中心突出。结尾表明了作者立场，具有感召力。

读者反馈卡

感谢您购买《中国寓言故事》，祝贺您正式成为了我们的“热心读者”，请您认真填写下列信息，以便我们和您联系。您如有作品和此表一同寄来，我们将优先采用您的作品。

读 者 档 案

姓名______________ 年级______________

电话______________ QQ号码______________

学校名称______________________________

班级______________ 邮编________________

通讯地址__________省__________市（县）__________区

（乡/镇）______________街道（村）

任课老师及联系电话________________ 课本版本__________

您认为本书的优点是______________________________

您认为本书的缺点是______________________________

您对本书的建议是________________________________

____

您在使用过程中发现的错误，可另附页。

联系我们：北教小雨文化传媒(北京)有限公司

地址：北京市北三环中路6号北京教育出版社

邮编：100120

联系人：北教小雨编辑部

联系电话：13911108612

邮箱：beijiaoxiaoyu@163.com

*此表可复印或抄写寄至上述地址

请沿此虚线剪下

小书虫阅读系列 超值价 10元 XIAO SHU CHONG YUE DU XI LIE

小学生语文新课标必读丛书

彩图注音版

01.《西游记》
02.《三国演义》
03.《水浒传》
04.《红楼梦》
05.《安徒生童话》
06.《格林童话》
07.《小鹿斑比》
08.《列那狐的故事》
09.《绿野仙踪》
10.《柳林风声》
11.《小王子》
12.《水孩子》
13.《小飞侠彼得·潘》
14.《木偶奇遇记》
15.《格列佛游记》
16.《汤姆·索亚历险记》
17.《吹牛大王历险记》
18.《尼尔斯骑鹅旅行记》
19.《爱丽丝漫游奇境》
20.《环游地球八十天》
21.《一千零一夜》
22.《伊索寓言》
23.《365夜故事》
24.《童年》
25.《鲁滨孙漂流记》
26.《钢铁是怎样炼成的》
27.《昆虫记》
28.《海底两万里》
29.《爱的教育》
30.《父与子全集》
31.《森林报 春》
32.《森林报 夏》
33.《森林报 秋》
34.《森林报 冬》
35.《三字经》
36.《弟子规》
37.《百家姓》
38.《千字文》
39.《论语》
40.《增广贤文》
41.《声律启蒙》
42.《幼学琼林》
43.《笠翁对韵》
44.《唐诗三百首》
45.《小学生必背古诗词100首》
46.《成语故事》
47.《成语接龙》
48.《中外名人故事》
49.《中外民间故事》
50.《中外神话故事》
51.《中外智慧故事》
52.《中华美德故事》
53.《中国寓言故事》
54.《中国历史故事》
55.《英雄人物的故事》
56.《科学家的故事》
57.《雷锋的故事》
58.《少年阿凡提》